話し方が上手くなる!
声まで良くなる!

# 1日1分朗読

これぞ日本語最高峰!
何度でも読みたい
名文・名作編

魚住りえ
アナウンサー

名文選定
高澤秀次

東洋経済新報社

# はじめに

# 驚くほど「朗読」が上手くなる、「1日1分」習慣で「魚住式朗読法」を完全メソッド化！

**「コミュニケーション力がアップする」「元気が出て、健康になる」「語彙・知識が増える」「声が良くなり話が上手になる」「脳が活性化する」そしてなにより「楽しい！」。**

**数えきれない朗読の魅力を、できるだけ多くの人に伝えたい――。**

みなさん、こんにちは。**魚住りえ**です。

**『話し方が上手くなる！ 声まで良くなる！ 1日1分朗読』**（東洋経済新報社）**がお**

**かげさまでロングセラーとなり、このたび第2弾を刊行できる運びとなりました！**

第1弾を出したときは、「『朗読』という独特の世界に興味をもっていただけるのかな？」と多少の不安もありましたが、本当に多くの人が手に取ってくださり、心からうれしく思っています。

私は現在、講演会やアナウンサー業で全国を飛び回る日々ですが、どこに行っても**「あの本を読んで朗読を始めました！」「魚住さんの本を教科書にして、みんなで集まって朗読会をやっています」**などのうれしい声を聞きます。

また私の講演会では「話し方」や「聞き方」など、コミュニケーションをテーマにすることが多いのですが、最後のほうに少し朗読の話をすると、**みなさんグッと前のめりになって聞いてくださる**のです。

「**朗読に興味をもってくださる方がこんなにも多い**のだ」と改めて実感させられます。

## 私のライフワーク「朗読」への強い思い

これまで『たった1日で声まで良くなる話し方の教科書』『たった1分で会話が弾み、印象まで良くなる聞く力の教科書』など、話し方や聞き方についての本を出版させていただきました。もちろんそのすべてが私の全メソッドを詰め込んだ大切な宝物ですが、なかでも朗読の本については私の思い入れがとても強いのです。

なぜなら私には、**「朗読の効用を一人でも多くの人に届けたい」という強い思いがある**からです。**朗読を広めることは私のライフワークのひとつ**と言っても過言ではないと思っています。

朗読の効用は前著に詳しく書いていますが、**話が上手になるし、声が良くなるし、頭の体操にもなるし、語彙・知識が激増するし、仲間ができるし、腹筋のエクササイズにもなる、といいことづくめ**なのです。

さらに、**朗読はビジネスにも効果あり！**　です。

朗読を続けることで、**「スピーチ」や「話し方」が目に見えて上達します**。

実際に前著『話し方が上手くなる！　声まで良くなる！　1日1分朗読』を読んで朗読を実践された方から、**「プレゼンスキルが劇的に向上した」「会議や雑談で言葉がスラスラ出るようになった」「面接がうまくいった」**などという報告を多数いただいています。

そしてなんといっても、**朗読は「楽しい！」**です。

最初は「朗読なんて興味がもてない」と言っていた人が、一度やってみると、その楽しさに開眼し、**「いまでは一生の趣味です」「こんなに楽しいならもっと早く始めたかった」**と言っていただくことも多いのです。

朗読には、人生を変える力があるのです！

## 唯一無二の「魚住式朗読法」を完全メソッド化！

**私の朗読は、「魚住式メソッド」ともいえる「完全オリジナル版」です**。

詳しくは本文で述べますが、魚住式ではいきなり読むのではなく、まず「黙読」「音読」を行って読み方のプランを立てます。

このとき強調の仕方、読むスピード、抑揚のつけ方、文章の区切り方などを「記号」にしてあらかじめ書き込みます。

**このプランと記号をガイドにして読むだけで、誰でもびっくりするほど上手に、「相手に伝わる朗読」をすることができる**のです。

この「魚住式メソッド」は**私が30年を超えるアナウンス経験から生み出したもので、唯一無二の方法**と自負しています。

前回の本ではこうした朗読のメソッドを中心に述べたため、限られた朗読の例文しか掲載できず、多くの方から「もっと他の例文がたくさん欲しい」とのご要望をいただきました。

今回は、そんなご要望にしっかりお応えして、近代以降のさまざまな文学作品を掲載しました。**美しい日本語で書かれた文章を朗読するのは、それだけで気持ちが高揚するし、教養度も格段にアップする**ので本当におすすめです。

なお、作品の選出にあたっては、文芸評論家の**高澤秀次先生**にご指導をいただきました。この場をお借りして厚く御礼申し上げます。

それではみなさん、魚住式メソッドで朗読の世界を存分にお楽しみください！

本書に掲載されている朗読作品は読みやすさを考慮し、一部、改行や句読点を増やしたり、現代の仮名遣いにしています。

［目次］

## 第3章……朗読作品〈初級〉

まずはここから！　主人公の心情や情景を思い浮かべながら、肩の力を抜いて、楽しく読んでいきましょう！

# 第4章……朗読作品〈中級〉

## 叙情的・幻想的な情景描写や複数の登場人物、セリフ表現に挑戦してみましょう！

第5章……

## 朗読作品〈上級〉

難易度の高い文章や言い回し、独特の世界観を楽しみながら、さまざまなトーンの作品を声で演じ分けましょう!

第1章

# 誰でもプロ並みに上手くなる！「魚住式朗読法」3つのステップ

「これが自分の声？」と驚く！聴いている人も感動する！〈メソッド編〉

## 「朗読」と「音読」はまったく別のもの

前著でも述べましたが、**「朗読」と「音読」は別物**です。

「音読」は、シンプルに「文章を声に出す」ということです。「書かれた文章をただ声に出して読む」というイメージです。

これに対して**「朗読」は、「人に伝えるもの」。相手に聞かせるために読む**ものが朗読です。

つまり音読と朗読の違いは**「相手」を意識しているかどうか**ということにあります。

その意味では、音読は朗読にいたる過程のひとつということもできます。

**ときには相手の感情に訴え、感動を呼び起こす、それが朗読**です。

私がみなさんにお伝えしたいのも、もちろん朗読です！

## 誰でもプロ並みの朗読ができる！「魚住式朗読メソッド」

では相手の心に響かせ、伝わる朗読をするためにはどうしたらいいのでしょうか。

もちろん**心を込めて読むことも大事なのですが、それだけではなく、声の出し方、読み方などの「技術」が必要**なのです。

その技術こそが「はじめに」で述べた、**「読み方のプラン」「強調の仕方」「読むスピード」「抑揚のつけ方」「文章の区切り方」**などのことです。

そして**そのテクニックを体系化し、誰にでもできるように普遍化したものが「魚住式朗読メソッド」**です。

やってみれば一瞬でおわかりいただけると思いますが、ただ単に朗読するのと、魚住式メソッドを使って読むのでは、もう全然違います。本当に**いきなり「プロ並み」の朗読ができてしまう**のです!

「そんな大げさな」と思われるかもしれませんが、ぜひみなさんご自身で体感してみてください。

きっと誰もが「これが自分の声?」と驚かれるはずです。

魚住式朗読メソッドについてもっと詳しく知りたい方は**前著『話し方が上手くなる! 声まで良くなる! 1日1分朗読』を参照していただきたい**と思います。

## 魚住式朗読トレーニング、「3つのステップ」とは？

魚住式朗読トレーニングは、次の3ステップに分かれます。

❶黙読

↓

❷音読

↓

❸朗読

**いきなり「❸朗読」をするのではなく、「❶黙読」「❷音読」というステップを踏んでから「❸朗読」に入るのが魚住式の特徴**です。

魚住式朗読ステップ❶

## 黙読

最初は声に出さずに「黙読」していきます。

黙読では次のようなポイントを考えながら読みます。

## 黙読のポイント1　「内容」を把握する

**何が書かれているのか、何をいいたい文章なのか、作者の意図をくみ取りながら読みます**。

私の場合は、そこに描かれている内容を脳内に映像で思い浮かべて、想像力を駆使して読み進めていきます。

## 黙読のポイント2　「構成」を考えて読む

最初にどんなことが書かれていて、どんなふうに続き、どんな締め・結論となっているか、段落ごと（改行ごと）に**全体の流れを把握**していきます。

難しく考えなくても、この段落（改行）では何が書かれているのかをざっと把握すればOKです。

## 黙読のポイント 3 「自分がこの文章で伝えたいこと」を考える

次に**「自分がこの文章を朗読するとき、相手に何を伝えたいのか」**を考えます。

こちらも難しく考える必要はありません。

自分がその文章の中で、著者に共感したこと、気づいたこと、感動したこと、思いついたことを自由にピックアップしてみてください。

## 魚住式朗読ステップ 2 音読

「ステップ❶黙読」で内容を把握したら、次は**声を出して読んでいきます**。

このとき**「書き込み」**をしながら読みます。手元にボールペンかマーカーをご用意ください。ボールペンは赤や青など、色つきのものがおすすめです。

書き込みのポイントは次の5つです。

## 音読のポイント1 「読みづらい箇所」「切るべき箇所」をチェックする

黙読ではスラスラ読めても、**実際に声に出して読んでみると、引っかかったりしてすんなり読めない箇所**があります。ここではそこをチェックします。

主に次のような箇所がそれに該当します。

- 読めない漢字
- はじめて知る言葉
- 苦手な発音
- 読みづらくて引っかかる、嚙んでしまう箇所
- 切り方によって意味が変わってしまう箇所

とくにどこで切るか、どこで息を吸うか（ブレスするか）は重要です。

たとえば、次の文を見てください。

**「小さいバッグをもった美しい女の子」**

この文章は「どの箇所で切るか、または息継ぎをするか」で文章の意味が変わってしまいます。

小さい／バッグをもった美しい女の子　→体の小さな、バッグをもった美しい女の子
小さいバッグをもった／美しい女の子　→小さいバッグをもった、美しい女の子
小さいバッグをもった／美しい女の／子　→小さいバッグをもった、美しい女性の子ども

3通りの捉え方ができてしまうのが、おわかりかと思います。

ですから**文章の意味を考えて、間違った読み方にならないよう、切りどころを正確にしてから読むことが大事**なのです。

自分の呼吸のテンポ（リズム）で好きなように切ったり、息継ぎしたりすると、意味が違ってしまうことがあるので気をつけてください。

**小説の場合はとくに、作家の独自の文体で、読点が極端に少なかったり、逆に読点が多かったりということがあります。**そのまま読んでしまうと聞き手に通じないこともあります。この段階でしっかりチェックしていきましょう。

## 音読のポイント2 「強調したい部分」を記号を使ってチェックする

次は、**「強調したい部分」をマークしていきます。**

**強調すべきところをしっかり強調することで、メリハリのついた朗読**ができて、相手の心に響く朗読ができます。

とはいっても、**すべてを強調して力強く読み上げたのでは、聞き手は疲れてしまい、かえって伝わらない**ものです。300字程度の短い文章でもそれはいえます。

じつは、どんな文章でも**「聞き手に絶対伝えたい大切な言葉や文章」**と**「もしも相手が聞き取れなかったとしても問題のない、重要度の低い言葉や文章」**で構成されているものです。

**「強調したい部分」はエネルギーを高めてしっかり強調**し、**「聞き流してもらってもい**

**い部分」はエネルギーを落として、さらっと読むのがコツ**です。

では、「どのように強調すればいいのか？」ということですが、私の場合、次の**6つのアクセント記号をつけて強調していきます**。

40ページなどのように、この6つについてはそれぞれに記号をつけています。

❶高く読む…□
❷ゆっくり読む…〜
❸強く読む…‖
❹ポーズ（間をおく）…く
❺感情を込める…□
❻読点があるが、区切りをつけずに続けて読む…⤸

詳しい記号の使い方は、次の第2章〈実践編〉で紹介します。

## 音読のポイント3 「抑揚」をつける

「強調したい部分」をピックアップしたら、**今度はその記号通りに声に出して読んでいきます**。

すると自然に**「抑揚」**がつきます。抑揚は「大事な言葉やセンテンスを強調すること」、つまり「メリハリをつけること」と言い換えることもできます。

**すべての文を強調するよりもメリハリ（＝抑揚）をつけることで、圧倒的に聞き取りやすく、伝わる朗読ができる**のです。

この抑揚のスキルが身につくと、話し方にも自然と抑揚がつくようになり、話し方がいっきに上達しますよ！

## 音読のポイント4 「行替え」を行う

日本語では印刷の都合上、「ひとつの単語や文節」が、行の最後と次の行の頭に分かれてしまうことがありますよね。

たとえばこれは、夏目漱石の『坊っちゃん』の一文です。

> 親譲りの無鉄砲で小供の時から損ばかりしている。小学
> 校に居る時分学校の二階から飛び降りて一週間ほど腰を抜
> かした事がある。

**「小学校」という単語が「小学」と「校」に分かれてしまって**います。

これは黙読するときは気にならないかもしれませんが、実際に**音読してみると視線が迷ってしまい、必ずといっていいほど「噛んで」しまう**のです。

**これを避けるために行うのが「行替え」**です。

この場合は次のように、「小学」のあとに「校に」を書き加えて、「小学校に」とし、次の行頭の「校に」を消しておきます。

（赤の二重線で消す）

親譲りの無鉄砲で**小供の時**から**損ばかり**している。小学校に（赤の文字で）
~~校に~~居る時分学校の二階から**飛び降りて**一週間ほど**腰を抜**
**抜かした事**がある。

そのあと、声に出して読んでみて、視線が迷ったり、読んでつまずかないことを確認します。

**この行替えは、アナウンサーやナレーターであれば、ほぼ全員が行っているといってもいいほど不可欠のスキル**です。

音読のポイント5

# 「読み方のプラン」を立てる

音読の最終段階として**「読み方のプラン」**を立てます。いままでの項目を踏まえ、全体を「どう読むか」を考えていきましょう。

**楽しい内容であれば、明るくハキハキと、暗い内容であれば重く、しっとりとした感じ**といったように、読み方をイメージしてみてください。

また段落ごとに内容が切り替わっている場合は、トーンを変えるのも有効です。たとえば、**暗い話が続いたあとで、明るい話に切り替わるときは、グッとトーンを上げていきます**。その逆もあります。

その場合、段落ごとにしっかり間をとることが大切です。私の場合は**読むトーン、間を置くといったこともメモしておきます**。

こうした**「読み方のプラン」を立てることで、メリハリがついて、聞き手にとって聞きやすく、思わず引き込まれる朗読**ができます。

プランは人それぞれでOKです。学校のテストのように「正解」はありません。「こう読みたい」、「こう伝えたい」など、みなさんの思うとおりに自信をもって読んでみて

ください ね。

## 魚住式朗読ステップ❸ 朗読

さあ、いよいよ朗読です！

「ステップ❷音読」で立てたプランにしたがって読んでいきます。

ここでのポイントは**自分の朗読を録音して聞いてみること**。

録音機器はスマホでも、ＩＣレコーダーでも何でもＯＫです。**「録音しては聞き返す」を反復**してみてください。

最初は「こんなに下手なのか」「ひどい声だ」などと思ってしまうかもしれません。

でも、続けていくうちに、**自分がぐんぐん上達してくるのがわかって、自信がついてきます**。そうなると、本当に朗読は楽しいものになっていきますよ！

# 第2章

# さあ、朗読してみましょう！

## 「魚住式アクセント記号」を使えば、1日1分でグングン上達し、朗読が楽しくなる！〈実践編〉

## 魚住式「6つのアクセント記号」を完全解説！

第1章「魚住式朗読法」のステップ❷「音読のポイント2」で述べたように、魚住式では私のオリジナルの**「6つのアクセント記号」**を使って表現します。

❶高く読む…□
❷ゆっくり読む…～
❸強く読む…‖
❹ポーズ（間をおく）…く
❺感情を込める…□
❻読点があるが、区切りをつけずに続けて読む…⤸

38ページからの例文は、**記号のついていないもの／記号のついているもの**を交互に掲載しています。記号は私がつけたものですが、もちろん**みなさんの解釈で、自由に書いていただいていいのです**。作品に対する感じ方は人それぞれだからです。

最初は私のサンプルを読んでくださっていいのですが、慣れてきたらみなさんご自身で記号をつけてオリジナルの朗読をしてみてくださいね。**新たな発見がある**と思います。

実際に私が朗読したものはこちらのYouTube「魚住りえチャンネル」で聴くことができます。ぜひ参考になさってください。

## 強調の方法と記号①

### □高く読む▼「高めの声」を出す

**強調したい部分を少し高めの声**で読みます。

**高い声はエネルギーをもっているので、言葉を際立たせる効果があります**。

じつはこれ、みなさんも普段の会話で自然と使っています。**「強調したい言葉」は、自然と音が高くなる**ものなのです。

朗読の場合は、単に高くするだけでなく、その言葉の前後を少し低めにすることで、よりその言葉を強調することができます。

また、練習するときは「手の振り」をつけると、やりやすくなります。

**声を高くしたいときは手を上げ、低くしたいときは手を下げるなど、軽く手を上下して、音の高低をコントロールする**のです。試してみてくださいね。

## 強調の方法と記号②　〜ゆっくり読む▼「強調したい部分」をゆっくり読む

**「強調したい部分」をゆっくり、はっきりと発音**します。

これによって聞き手は「ここの部分が重要なのだな」と認識します。

「ゆっくり」のなかでも**「ややゆっくり」と「かなりゆっくり」では違いがあり、「かなりゆっくり」のほうが、強調度合いが高まります**。

どのぐらい強調したいかによって「ゆっくり度」に強弱をつけるといいでしょう。

## 強調の方法と記号③　＝強く読む▼強く発音する

**「強調したい部分」の音量を上げ、大きく、強く発音**します。

これも**「やや強く」なのか、「かなり強く」なのか、どのぐらい強調したいかによって調整**します。

当然ですが、「やや強く」より「かなり強く」のほうが、強調度合いは高くなります。

## 強調の方法と記号④ く ポーズ（間をおく）▼一瞬「ポーズ」（間）をとる

**「強調したい部分」の直前に、一瞬「ポーズ」をとる（間をおく）テクニック**です。

一瞬の沈黙があると、聞き手は**「何かな？ 何か起こったのかな？」**と注意を促されます。それが次の言葉や文章への期待感となります。

このポーズも、どのぐらい時間をとるかによって強調の度合いが変わってきます。たとえば、短く一呼吸とるより、2〜3秒とるほうが強調の度合いは強くなります。

「ここぞ」とばかり、**最大級の注意を引きたい場面では、思いきって3秒間くらいポーズをとってみましょう**。朗読の3秒というと結構な長さで、最初は勇気がいると思いますが、実際にやってみると、かなりの手ごたえが感じられるはずです。

## 強調の方法と記号⑤ □ 感情を込める▼「声色」をつける

**「強調したい部分」に声色を乗せます。その部分だけ、気持ちをぐっと込めるのです**。

たとえば、明るく楽しい場面なら「高い声」でニコニコしながら読み、暗く重い場面では「低い声」でトーンを抑えめに読みます。

## 強調の方法と記号⑥ 読点があるが、区切りをつけずに続けて読む

**文章中に読点（、）があっても、あえて続けて読んだほうが伝わりやすい場合もあります**。その場合は、読点で息継ぎをせず、いっきに読んでしまいます。

以上、強調するコツと記号を6つ述べましたが、とくに強調したいところは**「高く読む」×「ゆっくり読む」**、あるいは**「高く読む」×「感情を込める」**の**「合わせ技」**を使うことで、さらに強調をすることができます。

あまり強調をする箇所が多いと聞いている人が疲れてしまうので、**「ここぞ」というときにだけ合わせ技を使うのがポイント**です。

それでは、日本最高峰の名作の朗読を楽しんでいきましょう！

第3章……

# 朗読作品〈初級〉

まずはここから！
主人公の心情や情景を思い浮かべながら、
肩の力を抜いて、楽しく読んでいきましょう！

誰もが知る名作！ 読むだけで元気になれます

# 夏目漱石『坊っちゃん』

親譲《おやゆず》りの無鉄砲《むてっぽう》で小供の時から損ばかりしている。小学校に居る時分学校の二階から飛び降りて一週間ほど腰を抜かした事がある。

なぜそんな無闇《むやみ》をしたと聞く人があるかも知れぬ。別段深い理由でもない。新築の二階から首を出していたら、同級生の一人が冗談に、いくら威張《いば》っても、そこから飛び降りる事は出来まい。弱虫やーい。と囃《はや》したからである。

■夏目漱石（1867〜1916）

東京生まれ。東京帝国大学英文科卒。松山中学などで英語を教えたあと、イギリスに留学。帰国後は東大などで教鞭をとる。1905年に『吾輩は猫である』を発表し、その後『坊っちゃん』『草枕』など次々と話題作を発表。1907年東大を辞して新聞社の専属作家となり、創作に専念。『三四郎』『それから』『門』などを発表する。その後大病を経て、『こころ』『道草』『明暗』などの作品で近代知識人の内面を描いた。

●『坊っちゃん』

松山中学在任当時の体験を背景とした初期の作品。1906年の作品。主人公の反俗精神に貫かれた奔放な行動に、滑稽と人情を巧みに交錯させている。歯ぎれのよい文体とさわやかなユーモアにあふれているこの作品は、漱石の作品のなかで最も多くの読者に愛されている。

小使《こづかい》に負ぶさって帰って来た時、おやじが大きな眼をして二階ぐらいから飛び降りて腰を抜かす奴があるかと云ったから、この次は抜かさずに飛んでみせますと答えた。

★(あらすじ) 生まれつき乱暴で、いたずらが過ぎていた坊っちゃん。学校を卒業後は四国の中学校に数学教師として赴任したが、江戸っ子で無鉄砲に育ってきた坊っちゃんには我慢ならないことばかり。教頭の赤シャツや野だいこなど、偽善的な俗物教師たちと衝突を繰り返すが——。

# 夏目漱石『坊っちゃん』

親譲《おやゆず》りの無鉄砲《むてっぽう》で小供の時から損ばかりしている。小学校に居る時分学校の二階から飛び降りて一週間ほど腰を抜かした事がある。なぜそんな無闇《むやみ》をしたと聞く人があるかも知れぬ。別段深い理由でもない。新築の二階から首を出していたら、同級生の一人が冗談に、いくら威張《いば》っても、そこから飛び降りる事は出来まい。弱虫やーい。と囃《はや》したからである。

□ 高く読む
～ ゆっくり読む
‖ 強く読む
く ポーズ（間をおく）
□ 感情を込める
⤸ 読点があるが、区切らず続けて読む

小使《こづかい》に負ぶさって帰って来た時、**おやじ**が**大きな眼をして**＜二階ぐらいから飛び降りて腰を抜かす奴があるかと云ったから、この次は＜**抜かさずに飛んでみせます**と答えた。

## りえの朗読ポイント

言わずと知れた名作の冒頭ですね。リズム感があって読みやすい文章です。「カギカッコ」はついていないものの、セリフが３カ所あります。ここを意識して感情を込めて読むと、他の部分とメリハリがつき、一本調子になりません。

## 「命」に向き合い、死を目前にした心情を思い描いて

# 森鷗外『高瀬舟』

庄兵衛は喜助の顔をまもりつつまた、「喜助さん」と呼びかけた。今度は「さん」と言ったが、これは充分の意識をもって称呼を改めたわけではない。その声がわが口から出てわが耳に入《い》るや否や、庄兵衛はこの称呼の不穏当なのに気がついたが、今さらすでに出たことばを取り返すこともできなかった。

「はい」と答えた喜助も、「さん」と呼ばれたのを不審に

**■森鷗外（1862〜1922）**

石見国（現在の島根県）生まれ。東京大学医学部を卒業後、陸軍軍医になり、陸軍省派遣留学生としてドイツでも軍医として過ごした。帰国後、留学中に交際していたドイツ人女性との悲恋をもとに処女小説『舞姫』を執筆。その後、『青年』『山椒大夫』『高瀬舟』『ヰタ・セクスアリス』など多くの作品を発表した。近代日本文学を代表する作家の一人。

**●『高瀬舟』**

1916年、「中央公論」に発表された短編小説。同時に発表された鷗外の自作解説によると、この作品は「知足」と「安楽死」という2つの主なテーマに興味を抱いて書かれたとされるが、さまざまな見解があり、その真意は明らかではない。

★（あらすじ）罪人を遠島に送るために川を下る高瀬舟に、喜助という男が乗せられた。弟を殺したと

思うらしく、おそるおそる庄兵衛の気色《けしき》をうかがった。

庄兵衛は少し間《ま》の悪いのをこらえて言った。「いろいろの事を聞くようだが、お前が今度島へやられるのは、人をあやめたからだという事だ。おれについでにそのわけを話して聞せてくれぬか。」

喜助はひどく恐れ入った様子で、「かしこまりました」と言って、小声で話し出した。

いうが、罪人とは思えぬ静かな男である。さらには晴れやかな顔をして月を仰いでいる。護送役の同心である庄兵衛はそれを不思議に思い、わけを尋ねるのだった。

# 森鷗外『高瀬舟』

**庄兵衛**は**喜助**の顔をまもりつつまた、「喜助**さん**」と呼びかけた。今度は「さん」と言ったが、これは充分の意識をもって称呼を改めたわけではない。その声がわが口から出てわが耳に入《い》るや否や、庄兵衛はこの称呼の**不穏当**なのに気がついたが、今さらすでに出たことばを取り返すこともできなかった。

「はい」と答えた喜助も、「さん」と呼ばれたのを**不審に**

□ 高く読む
〜 ゆっくり読む
‖ 強く読む
く ポーズ（間をおく）
□ 感情を込める
⤸ 読点があるが、区切らず続けて読む

思うらしく、おそるおそる庄兵衛の気色《けしき》をうかがった。

庄兵衛は少し間《ま》の悪いのをこらえて言った。「いろいろの事を聞くようだが、お前が今度島へやられるのは、人をあやめたからだという事だ。おれについでにそのわけを話して聞せてくれぬか。」

喜助はひどく恐れ入った様子で、「かしこまりました」と言って、小声で話し出した。

## りえの朗読ポイント

「……おそるおそる庄兵衛の気色をうかがった」の後、間（ポーズ）を3秒ほどしっかりとりましょう。しっかり間を空けることで、庄兵衛の感じた「間の悪さ」をそのまま表現することができます。その後の「かしこまりました」は小さく、元気のない様子で朗読してください。

擬音を軽やかに楽しみ、ファンタジーの世界に浸る！

# 宮沢賢治『風野又三郎』

「ドッドドドドウドドドウドドドウ、
楢《なら》の木の葉も引っちぎれ
とちもくるみもふきおとせ
ドッドドドドウドドドウドドドウ。」
一郎は声の来た栗の木の方を見ました。俄かに頭の上で
「さよなら、一郎さん、」と云ったかと思うとその声はもう
向うのひのきのかきねの方へ行っていました。一郎は高く

■宮沢賢治（1896〜1933）
岩手県生まれ。盛岡高等農林学校卒。花巻農学校教諭時に教え子との交流を通じて農民の現実を知り、その後は仏教（法華経）信仰と農民生活に根ざした創作を行った。37歳という若さで亡くなるが、没後世評が高まり、国民的作家となる。『銀河鉄道の夜』『風の又三郎』『グスコーブドリの伝記』などの童話や、『春と修羅』などの詩集を数多く残している。

●『風野又三郎』
著者の没後、1934年に発表された『風の又三郎』の7年前に書かれた先駆的作品。『風の又三郎』が人間の子どもであるのに対し、本作品は「風の精」であるというところが大きく異なっている。又三郎と村の子どもたちのやりとりや心象風景を爽快かつユニークに描いており、著者の作品によく使われている独特な擬音語が印象深い。

★（あらすじ）山あいの小さな小学

叫びました。

「又三郎さん。さよなら。」

かきねのずうっと向うで又三郎のガラスマントがぎらっと光り、それからあの赤い頬《ほお》とみだれた赤毛とがちらっと見えたと思うと、もうすうっと見えなくなってただ雲がどんどん飛ぶばかり。一郎はせなか一杯風を受けながら手をそっちへのばして立っていたのです。


校にやってきた風の子・又三郎は、鼠色のマントに透き通った靴をはき、姿は大人には見えない。子ども達に世界中を旅した話や、地球にめぐる大きな風の流れの話をして聞かせる。

朗読部分は先駆作品である『風野又三郎』にのみ描かれた物語の終盤のシーンで、台風の朝、又三郎から聞いた歌を夢に見て飛び起きた一郎が、最後に又三郎を見た場面である。

# 宮沢賢治『風野又三郎』

「ドッドドドドウドドドウドドドウ、
楢《なら》の木の葉も引っちぎれ
とちもくるみもふきおとせ
ドッドドドドウドドドウドドドウ。」
（リズムよく!!）

一郎は声の来た**栗の木の方**を見ました。俄かに頭の上で「さよなら、一郎さん、」と云ったかと思うとその声はもう向うの**ひのきのかきねの方**へ行っていました。一郎は**高く**

□ 高く読む
〜 ゆっくり読む
‖ 強く読む
く ポーズ（間をおく）
□ 感情を込める
♪ 読点があるが、区切らず続けて読む

叫びました。

「又三郎さん。さよなら。」

かきねの**ずうっと**向うで又三郎の**ガラスマント**が**ぎらっ**と光り、それからあの赤い頬《ほお》とみだれた赤毛とが**ちらっと**見えたと思うと、もう**すうっと**見えなくなってただ**雲**がどどんどん**飛ぶばかり**。一郎は**せなか一杯**風を受けながら手をそっちへのばして立っていたのです。


（実際に手をのばして立ってみるとよいです）

**りえの朗読ポイント**

冒頭の「ドッドドドドウド……」の部分は声量を上げて、力強く、テンポよく読みましょう。たとえば足踏みをしながら読むとリズミカルになります。その後の「一郎は声の来た……」からは本文に移るので、トーンを変えましょう。「又三郎さん。さよなら。」のセリフは、実際に背中一杯に風を受けながら手をのばし、又三郎が去っていくシーンを思い浮かべて読むと、臨場感が出ます。

## 名物のお餅を食べるシーンにほっこり

# 田辺聖子『怒りんぼ』

その饅頭屋《まんじゅうや》へはいったときは、むろん、いつものクセは出なかった。

それどころか、ニコニコしていた。喬《たかし》と一緒に買いにきたのだから。

喬は、ここの名物餅《もち》「こがね大福」が好きである。どちらかというとお酒の方が好きで甘いものはたべないが、この「こがね大福」だけは子供のころから食べていたので、好きなのだそうだ。

**■田辺聖子（1928〜2019）**
大阪府生まれ。樟蔭女子専門学校（現・大阪樟蔭女子大学）国文科卒。恋愛小説、随筆、古典翻訳、古典随筆など数多くの作品を発表した。1956年『虹』で大阪市民文芸賞を受賞したのをはじめ、その後、芥川賞、吉川英治文学賞、菊池寛賞、紫綬褒章、文化勲章など多数の受賞歴がある。主な作品は、小説『感傷旅行』『ジョゼと虎と魚たち』、古典翻訳『新源氏物語』など。読みやすい文体、軽妙なエッセイで幅広い層に人気を博す。2000年文化功労者に選ばれた。

**●『怒りんぼ』**
恋の温もりと儚さ、男の可愛げと女の優しさなど、世代を超えて心に沁みわたるような恋愛小説。心の奥にある甘苦い恋の記憶を思い出させるような作品集『孤独な夜のココア』の中のひとつ。1978年刊行。

大阪の下町の古いお菓子なのだが、いまの店は、昔からつづいた老舗《しにせ》でなくて、名前をゆずりうけて、昔と同じようなものを作っているということらしい。

福岡の、太宰府《だざいふ》の天神サンの境内に梅《うめ》が枝餅《えもち》というのがあるが、ちょうどあれを大きく、女の手のひらぐらいにしたもの、中に淡泊な味の餡《あん》が入ってて、両面焼きじるしで、「こがね大福」と字が入っている。外側は焼けてすこしかたく、熱いのをわんぐりと食べると、餅のやわらかさと餡の淡泊な味がうまく溶けておいしい。

かたくなっても味は落ちず、おいしいのだった。

★（あらすじ）私と喬は、ある饅頭屋に入った。喬にいつも「怒りんぼ」と言われているが、そのときの私はニコニコしていた。私はこの店の「こがね大福」が大好きだ。でも、お店の人は少し偏屈で、爺さんはほとんど口を利かず、おっさんは客に当たり散らしている。その態度を見ているうちに、いつの間にか私はムラムラ来て、いつものクセが出てしまう。

# 田辺聖子『怒りんぼ』

その饅頭屋《まんじゅうや》へはいったときは、むろん、いつものクセは出なかった。

それどころか、ニコニコしていた。喬《たかし》と一緒に買いにきたのだから。

喬は、ここの名物餅《もち》「こがね大福」が好きである。どちらかというとお酒の方が好きで甘いものはたべないが、この「こがね大福」だけは子供のころから食べていたので、好きなのだそうだ。

□ 高く読む
～ ゆっくり読む
‖ 強く読む
く ポーズ（間をおく）
□ 感情を込める
⤸ 読点があるが、区切らず続けて読む

大阪の下町の古いお菓子なのだが、いまの店は、昔から
つづいた老舗《しにせ》でなくて、名前をゆずりうけて、**昔と同じよ**
**うなもの**を作っているということらしい。
福岡の、**太宰府**《だざいふ》の天神サンの境内に**梅**《うめ》**が枝**《え》**餅**《もち》というのが
あるが、ちょうどあれを**大きく**、**女の手のひら**ぐらいにしたもの、
たもの、中に**淡泊な味の餡**《あん》が入ってて、**両面焼きじるし**で、
で、「**こがね大福**」と字が入っている。外側は焼けてすこし
しかたく、**熱い**のを**わんぐり**と食べると、餅の**やわらかさ**と
と餡の**淡泊な味**がうまく溶けて**おいしい**。
**かたくなっても**味は落ちず、おいしいのだった。

### りえの朗読ポイント

やさしくてとても読みやすい文章です。「こがね大福」を食べる描写がすばらしい。頭の中で熱々の大福をイメージして、実際に味わっているつもりになって読みましょう。聞いている人から「おいしそう！」「こがね大福、食べてみたい！」という声が上がったら作戦成功！です。

少年の決意の旅立ちに心が躍る

# 灰谷健次郎『我利馬《ガリバー》の船出』

どんな大きな仕事も、息も絶えだえの苦労の積み重ねからできているということは、一見、不可能のようなことでも、だれもが挑戦できる道がついているということである。世の中は確かに不公平だが、そうだからといってあきらめたり、自暴自棄《じぼうじき》に陥《おちい》っていたのでは、不公平はいっそう増幅《ぞうふく》されるだけである。

あるときはあらゆる不公平に目をつむって、自分の力でやれるだけやってみる。それから目を開けて歩き出してみ

■灰谷健次郎（1934～2006）
兵庫県生まれ。大阪学芸大学（現・大阪教育大学）学芸学部卒。卒業後は小学校教師の傍ら児童詩誌の編集に携わる。1971年に小学校教師を退職し、1974年に『兎の眼』を発表。その後は『太陽の子』『ろくべえまってろよ』など多くの小説や童話を出版した。『兎の眼』は、第8回日本児童文学者協会新人賞、第1回路傍の石文学賞を受賞した。

●『我利馬の船出』
1986年の作品。自立への道を模索する少年の姿を描いた長編。『兎の眼』『太陽の子』などのシリアスな小説とは異なり、自分史を書きたいという思いから生まれた徹底した観念小説である。

★（あらすじ）貧しい家庭環境で育った我利馬。生まれ変わりたい、自分を取り巻く家庭や社会から解放されて、自由に生きたいという望みを幼いころから抱いていた。

ても、まるっきり損をしたということにはならないということを知ったのは、ぼくのような境遇《きょうぐう》にあるものには貴重な発見だった。

不平不満で生きるだけが人生ではないということを、もう少しはやく知りたかった。

ものをつくるということは、ほんとうにいいことだ。

多くのことが見つかるし、なにより人間がつよくなる。

ひとつの体が生きる人生はひとつでしかないが、ものをつくることによっていろいろ苦労をすると、ひとつの体で、三つも四つもの人生を生きたような気がする。

16歳のとき、我利馬は自分でヨットを作り、この国から出て行こうと決意した。さまざまな苦難の末、我利馬がたどりついた場所とは。

# 灰谷健次郎『我利馬《ガリバー》の船出』

どんな大きな仕事も、息も絶えだえの苦労の積み重ねからできているということは、一見、不可能のようなことでも、だれもが挑戦できる道がついているということである。世の中は確かに不公平だが、そうだからといってあきらめたり、自暴自棄《じぼうじき》に陥《おちい》っていたのでは、不公平はいっそう増幅《ぞうふく》されるだけである。

あるときはあらゆる不公平に目をつむって、自分の力でやれるだけやってみる。それから目を開けて歩き出してみ

□ 高く読む
〜 ゆっくり読む
‖ 強く読む
く ポーズ（間をおく）
□ 感情を込める
⤸ 読点があるが、区切らず続けて読む

みても、まるっきり損をしたということにはならないという
ことを知ったのは、ぼくのような境遇《きょうぐう》にあるものには**貴重な**
**な**発見だった。

不平不満で生きるだけが人生ではないということを、**も**
**もう少しはやく知りたかった**。
**ものをつくるということは**、**ほんとうにいいことだ**。
多くのことが見つかるし、なにより**人間がつよくなる**。
ひとつの体が生きる人生はひとつでしかないが、**ものを**
**つくる**ことによって**いろいろ苦労をする**と、ひとつの体で、
せ、**三つも四つもの**人生を生きたような気がする。

### りえの朗読ポイント

貧困と差別に苦しんで育った少年が、自力で船を作り、旅立とうとするシーンです。この文章の中でクライマックスになるのが後半の「不平不満で生きるだけが人生ではない……」から最後までの7行です。前半から少しずつ盛り上げていって、最後の7行でクライマックスになるように、高揚感をもって表現するとよいでしょう。

## 大きくなり過ぎた山椒魚の絶望に人生を考えさせられる

# 井伏鱒二『山椒魚《さんしょううお》』

山椒魚は悲しんだ。

彼は彼の棲家《すみか》である岩屋から外へ出てみようとしたのであるが、頭が出口につかえて外に出ることができなかったのである。今は最早《もはや》、彼にとって永遠の棲家である岩屋は、出入口のところがそんなに狭かった。そして、ほの暗かった。強いて出て行こうとこころみると、彼の頭は出入口を塞《ふさ》ぐコロップの栓となるにすぎなくて、それはまる二

■井伏鱒二（1898～1993）
広島県生まれ。早稲田大学仏文科を中退し、1929年『山椒魚』を発表。その後、『ジョン万次郎漂流記』で直木賞、『本日休診』他により読売文学賞、『黒い雨』により野間文芸賞など、受賞歴多数。1966年には文化勲章を受章した。筆名は釣り好きだったことによる。

●『山椒魚』
体が大きくなり過ぎて棲家の岩屋の中から外へ出られなくなった山椒魚の、狼狽し悲しみに暮れる姿をユーモラスに描いた。国語の教科書にも採用された代表的な短編作品だが、自選全集に収録する際、井伏自身によって結末部分が大幅に削除されたことで議論を呼んだ。

★（あらすじ）あるとき、山椒魚は自分が岩屋の外に出られなくなっていることに気がつく。2年間、岩屋で過ごしている間に体が大き

年の間に彼の体が発育した証拠にこそはなったが、彼を狼《ろう》狽《ばい》させ且《か》つ悲しませるには十分であったのだ。

「何たる失策であることか！」

彼は岩屋のなかを許されるかぎり広く泳ぎまわってみようとした。人々は思いぞ屈せし場合、部屋のなかを屢々《しばしば》こんな工合《ぐあい》に歩きまわるものである。けれど山椒魚の棲家は、泳ぎまわるべくあまりに広くなかった。

くなり過ぎたのだ。自分の頭は、出入り口に「コロップの栓」のようにつかえるようになってしまっていた。ろくに動き回ることもできなくなってしまった岩屋の中で山椒魚は虚勢を張るが――。

# 井伏鱒二『山椒魚《さんしょううお》』

山椒魚は悲しんだ。

彼は彼の棲家《すみか》である岩屋から外へ出てみようとしたのであるが、頭が出口につかえて外に出ることができなかったのである。今は最早《もはや》、彼にとって永遠の棲家である岩屋は、出入口のところがそんなに狭かった。そして、ほの暗かった。 〱かった。 強いて出て行こうとこころみると、彼の頭は出入口を塞《ふさ》ぐコロップの栓となるにすぎなくて、それはまる

□ 高く読む
～ ゆっくり読む
‖ 強く読む
く ポーズ（間をおく）
□ 感情を込める
♪ 読点があるが、区切らず続けて読む

二年の間に彼の体が発育した証拠にこそはなったが、彼を**狼《ろう》狽《ばい》させ**且《か》つ**悲しませる**には十分であったのだ。

**「何たる失策であることか！」**

彼は岩屋のなかを許されるかぎり**広く**泳ぎまわってみようとした。人々は思いぞ屈せし場合、部屋のなかを**屡々《しばしば》**こんな工合《ぐあい》に歩きまわるものである。けれど山椒魚の棲家は、泳ぎまわるべく**あまりに**広くなかった。

**りえの朗読ポイント**

岩屋から出られなくなった山椒魚は「自分の価値観にとらわれ、誰ともコミュニケーションをとることができなくなってしまった人間」を暗喩しているのではないでしょうか（あくまで私の解釈ですが）。行き場を失くした山椒魚の哀しみを表現してください。

## 病床の弟を思う姉の心情に心が痛む

# 幸田文『おとうと』

そしてこの春、げんは彼の三畳がへんに臭うのを気づいた。それは藁《わら》の臭いだった。つづいて彼が汗を掻《か》くことを知った。「東京とは寝苦しい処《ところ》だよ。おれは汗掻いちゃう」と碧郎《へきろう》が云い、げんも東京の夜は向嶋より蒲団《ふとん》が薄くて済むことを思っていた。彼の蒲団を干してやりながら、汗が綿を透《とお》して畳の藁を臭わせるのだと合点しても、それがどういうことなのか少しも懸念《けねん》しないものの無邪気さで弟と

■幸田文（1904～1990）

東京生まれ。女子学院卒。文豪幸田露伴の次女。露伴の没後、父との思い出などを回想する文章を発表して注目される。その後は小説や随筆を刊行し高い評価を得る。繊細な感性と観察眼、江戸前の歯切れの良い文体が特徴で、身辺雑記や動植物への親しみなどを綴った随筆の評価も高い。主な作品は、小説『黒い裾』『流れる』『おとうと』、随筆『こんなこと』『みそっかす』など。没後に叙従四位、勲三等瑞宝章追贈。

●『おとうと』

繊細な感情を捉えた自伝的長編小説。「おとうと」は著者の実際の弟がモデル。高名な作家で自分の仕事に没頭している父、悪意はないが冷たい継母。人の言うことを素直に聞かず病弱な弟を、母親代わりになって面倒をみる姉の深い愛情が感じられる。1956～1957年に「婦人公論」に連載小説として発表された。

笑いあった。父親がそのことに気づいてげんに糺《ただ》し、はっとした表情をし、しかしさりげなく碧郎に、「おまえ、かぜをひいているようだよ。夜なかに知らずに咳《せき》をしている、医者へ行ってごらん」とすすめた。その結果がこうしたことなのだ。そのころ結核はまだまったく不治の病いとされていて、長かれ短かれ行手は死しかなかった。十九歳の六月末、結核という一語に薙《な》ぎ倒されて、碧郎は新しい絣《かすり》の袖をつっぱらせて、しょぼしょぼと泣いていた。

★（あらすじ）17歳のげんには3歳違いの弟・碧郎がいる。ある日、碧郎が学校で同級生に怪我をさせるという事件が起きてしまい、その事件を境に碧郎は不良仲間に引き込まれて生活が乱れていく。家を向島から小石川に移したあと、碧郎が夜中に咳をしていると父に言われ、病院に行くことにしたが……。

# 幸田文『おとうと』

そしてこの春、げんは彼の三畳がへんに臭うのを気づいた。

それは藁《わら》の臭いだった。つづいて彼が汗を掻《か》くことを知った。「東京とは寝苦しい処《ところ》だよ。おれは汗掻いちゃう」と碧郎《へきろう》が云い、げんも東京の夜は向嶋より蒲団《ふとん》が薄くて済むことを思っていた。彼の蒲団を干してやりながら、汗が綿を透《とお》して畳の藁を臭わせるのだと合点しても、それがどういうことなのか少しも懸念《けねん》しないものの無邪気さで弟と

□ 高く読む
～ ゆっくり読む
‖ 強く読む
く ポーズ（間をおく）
□ 感情を込める
♪ 読点があるが、区切らず続けて読む

笑いあった。**父親**がそのことに気づいてげんに糺《ただ》し、**はっ**
**はっとした表情**をし、しかし**さりげなく**碧郎に、「おまえ、か
かぜをひいているようだよ。夜なかに知らずに**咳**《せき》をしている、
る、**医者**へ行ってごらん」とすすめた。その結果が**こうし**
**こうしたことなのだ。**そのころ結核はまだまったく**不治の病い**と
されていて、**長かれ短かれ**行手は**死**しかなかった。**十九歳**の
ゆ六月末、**結核**という一語に**薙**《な》**ぎ倒されて**、碧郎は新しい
絣《かすり》の袖をつっぱらせて、**しょぼしょぼ**と**泣いていた。**



## りえの朗読ポイント

セリフが２つ出てきます。弟の碧郎は、母親のような姉・げんに甘えた感じで。一方、厳格であった父親のセリフは力強くはっきりと。この２つの読み方を大きく変えるとメリハリが出ます。

最後の３行は姉・げんの弟に対する深い愛情があふれているこの文章のクライマックス。大好きな可愛い弟が死にゆくという悲しみを声色に乗せて読んでみましょう。

# 太宰治『女生徒』

## 少女の微笑ましくも感傷的な独白に青春時代が蘇る

もう、お茶の水。プラットフォムに降り立ったら、なんだかすべて、けろりとしていた。いま過ぎたことを、いそいで思いかえしたく努めたけれど、いっこうに思い浮かばない。あの、つづきを考えようと、あせったけれど、何も思うことがない。からっぽだ。その時、時には、ずいぶんと自分の気持を打ったものもあったようだし、くるしい恥ずかしいこともあったはずなのに、過ぎてしまえば、何も

■太宰治（1909〜1948）
青森県生まれ。学生時代から多くの同人誌に作品を発表、自殺未遂や薬物中毒を繰り返しながらも、第二次世界大戦前から戦後にかけて数多くの作品を発表。主な作品に『走れメロス』『津軽』『斜陽』『人間失格』『女生徒』がある。典型的な自己破滅型の私小説作家とされる。

●『女生徒』
女性読者から送られてきた日記をもとに、14歳のある女子生徒の朝起きてから夜寝るまでの一日を独白体で描いた作品。思春期にもちやすい自意識のゆらぎや厭世的な心情が、繊細な女性一人称で語られている。1939年発表。

★（あらすじ）朝、眼をさますときの気持ちは、面白い。だけど醜い後悔もある。通学途中も頭にいろいろなことが押し寄せてくる。読む雑誌の内容、植木屋さんの顔、新しい風呂敷のこと……。でも駅

なかったのと全く同じだ。いま、という瞬間は、面白い。いま、いま、いま、と指でおさえているうちにも、いま、は遠くへ飛び去って、あたらしい「いま」が来ている。ブリッジの階段をコトコト昇りながら、ナンジャラホイと思った。ばかばかしい。私は、少し幸福すぎるのかも知れない。

のプラットホームに降り立つと、それまでのことはけろっとして、気持ちはもう学校生活に。

# 太宰治『女生徒』

もう、お茶の水。プラットフォムに降り立ったら、なんだかすべて、けろりとしていた。いま過ぎたことを、いそいで思いかえしたく努めたけれど、いっこうに思い浮かばない。あの、つづきを考えようと、あせったけれど、何も思うことがない。からっぽだ。その時、時には、ずいぶんと自分の気持を打ったものもあったようだし、くるしい恥ずかしいこともあったはずなのに、過ぎてしまえば、何も

□ 高く読む
～ ゆっくり読む
‖ 強く読む
く ポーズ（間をおく）
□ 感情を込める
⤸ 読点があるが、区切らず続けて読む

なかったのと全く同じだ。いま、という瞬間は、**面白い**。いま、いま、**いま**、と指でおさえているうちにも、いま、はは遠くへ飛び去って、**あたらしい**「**いま**」が来ている。ブリッジの階段をコトコト昇りながら、**ナンジャラホイ**と思った。**ばかばかしい**。私は、少し**幸福すぎる**のかも知れない。

ない。

## りえの朗読ポイント

14歳の女生徒の感情の吐露です。子どもから大人に変わる途中の少女がもつ息苦しさ、切なさ、コロコロと変わる感情を描いた作品になっています。セリフ調の文章なので思うまま、好きに読んでみてください。何しろ読点（、）が多いので、私はほぼつなげて読んでいますが、これもご自身の感覚で変えていただいて結構です。

壮大な物語のはじまりにイマジネーションが膨らむ

# 五木寛之『戒厳令の夜』①

その店を見たとき、突然、〈デジャヴュ〉という奇妙な言葉が江間隆之《えまたかゆき》の頭にうかんだ。

〈Déjà vu＝既視感《きしかん》〉

彼が大学の学生だったころ、心理学の授業で教わった用語である。誰でも一度や二度は憶《おぼ》えのある現象だが、全くはじめて出会う情景や人物なのに、なぜか以前に見たことがあるような気がしてならない場合があるものだ。その錯

■五木寛之（１９３２〜）
福岡県生まれ。早稲田大学露文科中退。作詞家、編集者、放送作家など多方面で活躍。１９６６年『さらばモスクワ愚連隊』で小説家デビュー。翌年『蒼ざめた馬を見よ』で直木賞、１９７６年『青春の門　筑豊篇』で吉川英治文学賞など数多くの賞を受賞。主な作品に『大河の一滴』（随筆）、『戒厳令の夜』『風の王国』などがある。

●『戒厳令の夜』
日本のある酒場で見つかった１枚の絵を巡って、スペイン内乱、ナチスのパリ無血占領、ＧＨＱの日本戦後統治、日本政界の疑獄事件へとつながる壮大なスケールの物語。１９７６年発表。

★（あらすじ）映画雑誌記者の江間隆之は、福岡の酒場で1枚の絵にめぐり会った。それはスペインの大画家パブロ・ロペスのものだった。占領下のパリでナチスに略奪され、行方がわからなくなってい

覚を〈デジャヴュ〉という。時には〈既視体験〉と訳される場合もある。
いま、なまあたたかい五月の夜の中で、彼が体験しつつあるのが、それだった。それも漠然とした印象ではない。くっきりとした、つよい既視感だ。

たコレクションが、どうして日本にあるのか。幻の名画の謎を解明しようと江間が動き始めるが……。

# 五木寛之『戒厳令の夜』①

その店を見たとき、突然、〈デジャヴュ〉という奇妙な言葉が江間《えま》隆之《たかゆき》の頭にうかんだ。

〈Déjà vu＝既視感《きしかん》〉

彼が大学の学生だったころ、心理学の授業で教わった用語である。誰でも一度や二度は憶《おぼ》えのある現象だが、全くはじめて出会う情景や人物なのに、なぜか以前に見たことがあるような気がしてならない場合があるものだ。その錯

□ 高く読む
～ ゆっくり読む
＝ 強く読む
く ポーズ（間をおく）
□ 感情を込める
⤸ 読点があるが、区切らず続けて読む

錯覚を〈**デジャヴュ**〉という。時には〈**既視体験**〉と訳される

れる場合もある。

いま、なまあたたかい五月の夜の中で、彼が体験しつつ

あるのが、それだった。それも**漠然**とした印象ではない。

**くっきりとした、つよい**既視感だ。

### りえの朗読ポイント

**「デジャヴュ」と「既視体験」という2つのキーワードがあります。「高く読む」「ゆっくり読む」の2つを使ってしっかり強調してみました。最初の〈Déjà vu＝既視感〉のあとはしっかり3秒、間をとりましょう。ご自分のデジャヴュ体験があれば、それをイメージしながら読むといいかもしれませんね。**

何かが起こりそうな展開にハラハラドキドキ！

## 五木寛之『戒厳令の夜』②

彼は一軒の酒場の前に立っていた。それはこの界隈《かいわい》には似つかわしくない店だった。古風な洋館のつくりで、壁には一面に緑色の蔦《つた》がからんでいる。錆《さ》びた鉄で枠《わく》どりした木製の扉。その扉のうえにうちつけてある絵葉書大のプレート。酒場・ベラ、という宋朝体《そうちょうたい》の文字が、かろうじて読みとれた。目立つネオンサインも、立看板もない。ただ建物の左上方に固定された照明燈が、オレンジ色の暈《かさ》のようなスポットを入口の煉瓦敷《れんがじき》におとしているだけだ。
時代にとりのこされたような、旧式の酒場だった。

# 五木寛之『戒厳令の夜』②

彼は一軒の酒場の前に立っていた。それはこの界隈《かいわい》には
似つかわしくない店だった。古風な洋館のつくりで、壁には
は一面に緑色の蔦《つた》がからんでいる。錆《さ》びた鉄で枠《わく》どりした
木製の扉。その扉のうえにうちつけてある絵葉書大のプ
プレート。酒場・ベラ、という宋朝体《そうちょうたい》の文字が、かろうじて
て読みとれた。目立つネオンサインも、立看板もない。ただ
ただ建物の左上方に固定された照明燈が、オレンジ色の暈《かさ》の

□ 高く読む
～ ゆっくり読む
‖ 強く読む
く ポーズ（間をおく）
□ 感情を込める
⤸ 読点があるが、区切らず続けて読む

ようなスポットを入口の煉《れん》瓦《が》敷《じき》におとしているだけだ。

**時代にとりのこされた**ような、**旧式**の**酒場だった。**

### りえの朗読ポイント

夜の古めかしい洋館の描写の中、「緑色の蔦《つた》」「オレンジ色の暈《かさ》のようなスポット」というところで、はじめて「色や明るさ」が出てきます。そこを強調して読むといいでしょう。みなさんそれぞれの中にある「古めかしい洋館」を思い浮かべながら読んでみてください。

第4章

# 朗読作品〈中級〉

叙情的・幻想的な情景描写や
複数の登場人物、セリフ表現に
挑戦してみましょう!

# 美しくも繊細な雪の描写は何度読んでも感動

## 川端康成『雪国』

国境の長いトンネルを抜けると雪国であった。夜の底が白くなった。信号所に汽車が止った。

向側の座席から娘が立って来て、島村の前のガラス窓を落した。雪の冷気が流れこんだ。娘は窓いっぱいに乗り出して、遠くへ叫ぶように、

「駅長さあん、駅長さあん。」

明りをさげてゆっくり雪を踏んで来た男は、襟巻《えりまき》で鼻の

■川端康成（1899〜1972）

大阪府生まれ。東京帝国大学国文学科卒。1924年、同人誌「文藝時代」を創刊。短編小説を数多く発表し、「新感覚派」として注目される。1968年には、日本人初となるノーベル文学賞を受賞。『伊豆の踊子』『雪国』『眠れる美女』『古都』など、日本の美や人間を深く探究した作品など、数多くの名著を残した。

●『雪国』

海外でも評価が高く、著者が受賞したノーベル文学賞の審査対象となった。素晴らしい情景描写と温泉町で生きる女性たちの命の瞬間を見つめる主人公、日本的な「美」を結晶化させた作品である。本作品は、1935年から複数の雑誌に断続的に各章が連作として書き継がれ、1948年に完結。のちに『雪国』として刊行された。冒頭の一文はあまりにも有名。

★（あらすじ）12月の初め、文筆家

上まで包み、耳に帽子の毛皮を垂れていた。

もうそんな寒さかと島村は外を眺めると、鉄道の官舎らしいバラックが山裾に寒々と散らばっているだけで、雪の色はそこまで行かぬうちに闇に呑まれていた。

の島村は、汽車で雪国へと向かっていた。その汽車の中で病人の男に付き添う若く美しい娘・葉子と出会う。島村はその若い娘に心惹かれてしまう。男と娘は、島村と同じ駅で降りていくが、そこは極寒の別世界であった——。

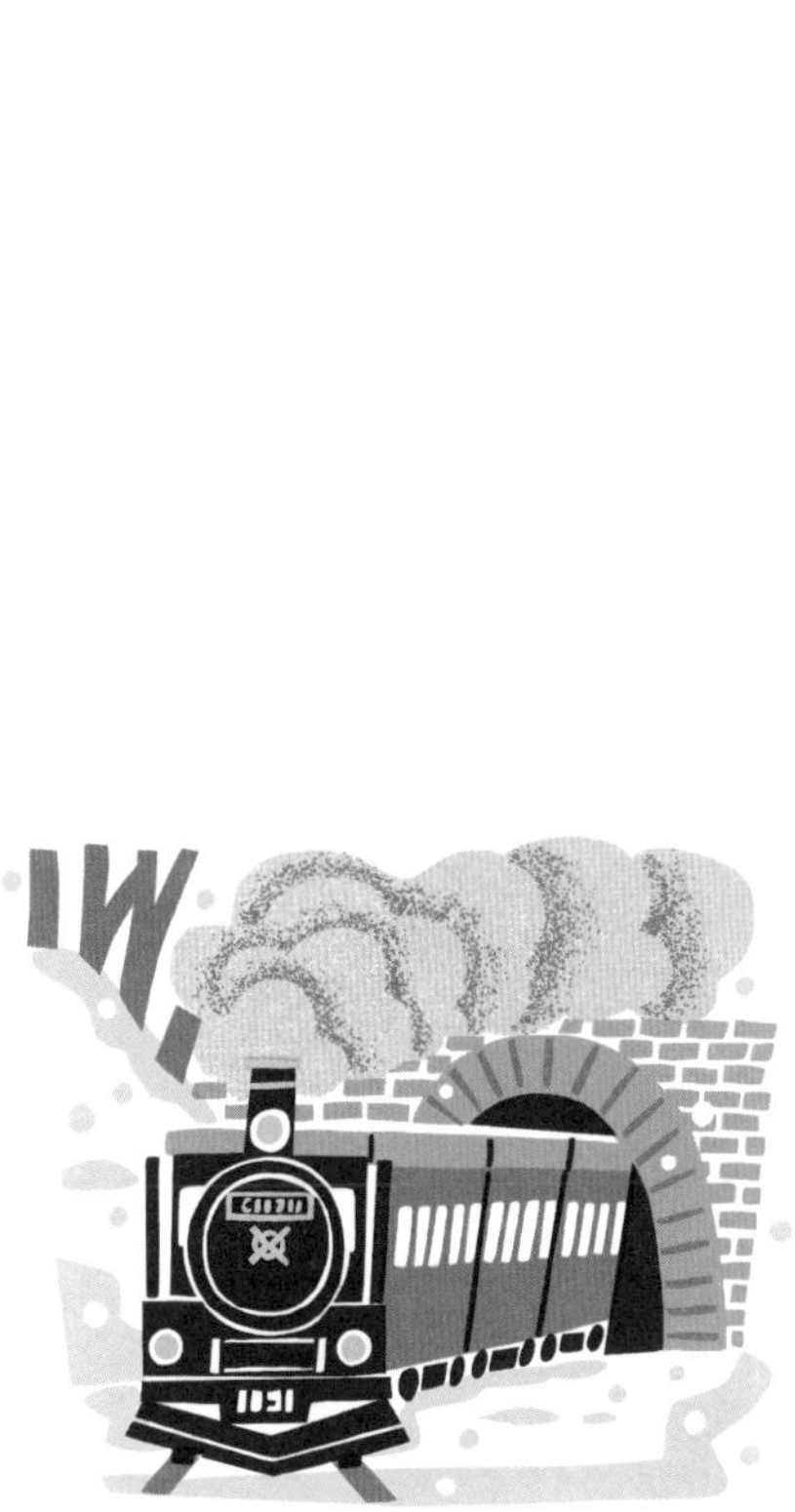

# 川端康成『雪国』

国境の長いトンネルを抜けると雪国であった。夜の底が白くなった。信号所に汽車が止った。

向側の座席から娘が立って来て、島村の前のガラス窓を落した。雪の冷気が流れこんだ。娘は窓いっぱいに乗り出して、遠くへ叫ぶように、

「駅長さあん、駅長さあん。」

明りをさげてゆっくり雪を踏んで来た男は、襟巻で鼻の

□ 高く読む
～ ゆっくり読む
‖ 強く読む
く ポーズ（間をおく）
□ 感情を込める
⤸ 読点があるが、区切らず続けて読む

上まで包み、耳に帽子の毛皮を垂れていた。
**もうそんな寒さか**と島村は外を眺めると、鉄道の官舎らしいバラックが山裾に**寒々と**散らばっているだけで、雪の色はそこまで行かぬうちに**闇に呑まれていた。**



### りえの朗読ポイント

まるで映画を見ているような情景描写です。自分が映画監督なら、どんな景色をどんなカットで撮影するでしょうか？ 想像しながら朗読してみてください。また、娘の「駅長さあん、……」のセリフは、実際に窓いっぱいに乗り出しているように臨場感をもたせて読んでください。

## 情緒あふれる自然の描写に旅情がかきたてられる

# 川端康成『伊豆の踊子』

道がつづら折りになって、いよいよ天城峠《あまぎとうげ》に近づいたと思う頃、雨脚《あまあし》が杉の密林を白く染めながら、すさまじい早さで麓《ふもと》から私を追って来た。

私は二十歳《さい》、高等学校の制帽をかぶり、紺飛白《こんがすり》の着物に袴《はかま》をはき、学生カバンを肩にかけていた。一人伊豆の旅に出てから四日目のことだった。修善寺《しゅぜんじ》温泉に一夜泊《とま》り、湯ヶ島温泉に二夜泊り、そして朴歯《ほおば》の高下駄《たかげた》で天城を登っ

■川端康成（1899〜1972）
80ページ参照

●『伊豆の踊子』
著者初期の代表作の一つ。一人旅で伊豆を訪れた二十歳の青年が踊子に出会ったことで、それまで歪んでいた心が次第にあたたかくときほぐされていく。自らの実体験をもとに描かれたという、青春の美しい抒情が漂う作品である。1926年発表。

★（あらすじ）学生の「私」は伊豆を一人旅していた。途中で旅芸人の一行を見かけ、一人の美しい踊子から目が離せなくなる。大きな瞳で花のように笑う彼女と親しくなりたい。だが、「私」は声をかけられずにいた。そんなとき、偶然にも旅芸人たちから話しかけられて——。

て来たのだった。重なり合った山々や原生林や深い渓谷《けいこく》の秋に見惚《みと》れながらも、私は一つの期待に胸をときめかして道を急いでいるのだった。そのうちに大粒の雨が私を打ち始めた。折れ曲った急な坂道を駈け登った。ようやく峠の北口の茶屋に辿《たど》りついてほっとすると同時に、私はその入口で立ちすくんでしまった。余りに期待がみごとに的中したからである。そこで旅芸人の一行が休んでいたのだ。

# 川端康成『伊豆の踊子』

道がつづら折りになって、いよいよ**天城峠**《あまぎとうげ》に近づいたと思う頃、**雨脚**《あまあし》が杉の密林を**白く**染めながら、**すさまじい**早さで麓《ふもと》から私を追って来た。

私は**二十歳**《さい》、高等学校の制帽をかぶり、紺飛白《こんがすり》の着物に袴《はかま》をはき、学生カバンを肩にかけていた。一人伊豆の旅に出てから四日目のことだった。**修善寺温泉**《しゅぜんじ》に一夜泊《とま》り、**湯ケ島温泉**に二夜泊り、そして**朴歯**《ほおば》**の高下駄**《たかげた》で天城を登って

□ 高く読む
〜 ゆっくり読む
‖ 強く読む
く ポーズ(間をおく)
□ 感情を込める
⤸ 読点があるが、区切らず続けて読む

て来たのだった。重なり合った山々や原生林や深い渓谷《けいこく》の秋に見惚《みと》れながらも、私は一つの期待に**胸をときめかして**道を急いでいるのだった。そのうちに**大粒の雨**が私を打ち始めた。折れ曲った急な坂道を**駆け登った**。ようやく峠の北口の茶屋に辿《たど》りついてほっとすると同時に、私はその入口で**立ちすくんでしまった**。**余りに**期待が**みごとに的中した**たからである。そこで**旅芸人の一行**が**休んでいたのだ**。

## りえの朗読ポイント

「自然の描写」と「私の話」が交互に描写されており、そのつど視点が変わります。読んでいると映像が目に浮かんでくる作品です。自分がこの映画の監督ならばどんなふうに撮るか、視覚的なイメージをもって読むと、聞く人に情景が伝わります。

行商の家族の何気ないやり取りが心に温かく響く

# 林芙美子『風琴《ふうきん》と魚の町』①

父は風琴を鳴らすことが上手《じょうず》であった。

音楽に対する私の記憶《きおく》は、この父の風琴から始まる。

私達《たち》は長い間、汽車に揺《ゆ》られて退屈《たいくつ》していた。母は、私がバナナを食《は》んでいる傍で経文を誦《ず》しながら、泪《なみだ》していた。「あなたに身を託《たく》したばかりに、私はこの様《よう》に苦労しなければならない」と、あるいはそう話しかけていたのかも知れない。父は、白い風呂敷包《ふろしきづつ》みの中の風琴を、時々尻《しり》

■林芙美子（1903〜1951）

山口県生まれ。尾道市立高等女学校卒。詩情豊かな文体で、暗い現実をリアルに描写する作風で、庶民生活を題材にした自伝的作品が多い。1930年に幼少期からの不遇の半生を綴った『放浪記』がベストセラーとなる。その後、女流作家として戦中戦後の文壇で多くの作品を発表。常に第一線で活躍する。主な作品は『風琴と魚の町』『晩菊』『浮雲』など。

●『風琴と魚の町』

行商の旅の途中、立ち寄った海辺の町尾道に腰を落ち着ける主人公一家。先の見えない貧しい生活ながらも、懸命に生きる一家の姿がリアルに描かれている。感受性豊かな十代半ばの少女の視点から描かれた自伝的要素の強い作品。1931年発表。

★（あらすじ）学校にも通えず、いつもお腹を空かしていた私は、父や母とともに長い時間汽車に揺ら

で押《お》しながら、粉ばかりになった刻み煙草《たばこ》を吸っていた。私達は、この様な一家を挙げての遠い旅は一再ならずあった。

父は目蓋《まぶた》をとじて母へ何か優《やさ》し気《げ》に語っていた。「今に見いよ」とでも云《い》っているのであろう。

れて尾道の町にやって来た。父は憲兵の軍服をまとい風琴を鳴らしながら、おもしろい口上で薬などを売る行商人だ。新しい土地での生活が始まり、父の商売もけっこううまくいっていたと思っていたのだが……。

# 林芙美子『風琴《ふうきん》と魚の町』①

父は風琴を鳴らすことが上手《じょうず》であった。

音楽に対する私の記憶《きおく》は、この父の風琴から始まる。く

私達《たち》は長い間、汽車に揺《ゆ》られて退屈《たいくつ》していた。母は、私

私がバナナを食《は》んでいる傍で経文を誦《ず》しながら、涙《なみだ》していた。

れた。「あなたに身を託《たく》したばかりに、私はこの様《よう》に苦労しなければならない」と、あるいはそう話しかけていたのかも知れない。く父は、白い風呂敷包《ふろしきづつ》みの中の風琴を、時々尻《しり》

□ 高く読む
～ ゆっくり読む
‖ 強く読む
く ポーズ（間をおく）
□ 感情を込める
⤸ 読点があるが、区切らず続けて読む

で押《お》しながら、**粉ばかりに**なった**刻み煙草**《たばこ》を吸っていた。

私達は、この様な一家を挙げての遠い旅は一再ならずあった。

父は目蓋《まぶた》をとじて母へ何か**優**《やさ》**し気**《げ》**に**語っていた。「**今に見いよ**」とでも云《い》っているのであろう。

### りえの朗読ポイント

親子３人の貧しい行商暮らしが描かれているにもかかわらず、悲壮感がなく、さわやかささえ感じる文章です。深刻にならず、明るいトーンで全体を朗読しましょう。

風情あふれる港町が目の前に浮かんでくるかのよう

## 林芙美子『風琴と魚の町』②

蜒々《えんえん》とした汀《なぎさ》を汽車は這《は》っている。動かない海と、屹立《きつりつ》した雲の景色《けしき》は十四歳《さい》の私の眼《め》に壁《かべ》のように照り輝《かがや》いて写った。その春の海を囲んで、たくさん、日の丸の旗をかかげた町があった。目蓋をとじていた父は、朱《あか》い日の丸の旗を見ると、せわしく立ちあがって汽車の窓から首を出した。

「この町は、祭でもあるらしい、降りてみんかやのう」

母も経文を合財袋《がっさいぶくろ》にしまいながら、立ちあがった。

「ほんとに、綺麗《きれい》な町じゃ、まだ陽《ひ》が高いけに、降りて弁当の代でも稼《かせ》ぎまっせ」

で、私達三人は、おのおのの荷物を肩《かた》に背負って、日の丸の旗のヒラヒラした海辺の町へ降りた。

# 林芙美子『風琴と魚の町』②

蜒々《えんえん》とした汀《なぎさ》を汽車は這《は》っている。動かない海と、屹立《きつりつ》した雲の景色《けしき》は十四歳《さい》の私の眼《め》に壁《かべ》のように照り輝《かがや》いて写った。その春の海を囲んで、たくさん、日の丸の旗をかかげた町があった。目蓋をとじていた父は、朱《あか》い日の丸の旗を見ると、せわしく立ちあがって汽車の窓から首を出した。

「この町は、祭でもあるらしい、降りてみんかやのう」

□ 高く読む
〜 ゆっくり読む
‖ 強く読む
く ポーズ（間をおく）
□ 感情を込める
⤵ 読点があるが、区切らず続けて読む

母も経文を合財袋《がっさいぶくろ》にしまいながら、**立ちあがった**。

「ほんとに、**綺麗**《きれい》な町じゃ、まだ陽《ひ》が高いけに、降りて**弁当の代**でも**稼**《かせ》**ぎまっせ**」

で、私達三人は、おのおのの荷物を肩《かた》に背負って、日の丸の旗のヒラヒラした海辺の町へ降りた。

### りえの朗読ポイント

海と空の描写がすばらしい。読むだけで目の前に輝くブルーの海が広がるかのようです。みなさんもご自分で海と雲をイメージして読んでみてください。セリフは中国地方の方言です。耳慣れない人にはちょっと難しいかもしれませんが、ぜひチャレンジしてみてくださいね！
（ちなみに私は広島育ちなので、懐かしい気持ちで朗読しています）

クモのうごめく虫屋敷……異次元の世界にトリップ

# 江戸川乱歩『幽霊塔』①

この世の中に、私ほど怪奇な、恐ろしい経験談を持っているものはあるまい。幽霊というものがあるかないかは知らぬが、この私の経験談というのは、淋しい山村に立ちくされた化物屋敷のような古い家の中を、フワフワとさまよっていた幽霊みたいな人物が中心となっているのだ。しかも、その幽霊は「牡丹燈籠《ぼたんどうろう》」の芝居のお露《つゆ》のように、若くて美しい女であった。

■江戸川乱歩（1894〜1965）
三重県生まれ。早稲田大学政治経済学部卒。ペンネームは彼が傾倒したエドガー・アラン・ポーに由来する。日本の近代的な推理小説の礎を築き、第二次世界大戦後は推理小説分野を中心に評論家や研究者、編集者としても活躍した。実際に探偵事務所に勤務していた経歴もある。主な作品は『D坂の殺人事件』『黒蜥蜴』『怪人二十面相』など多数。

●『幽霊塔』
1937年、黒岩涙香による翻案小説『幽霊塔』をリライトした作品。有名な『少年探偵団』シリーズのような少年小説ではなく、ミステリー・恋愛・ホラーなど、さまざまなジャンルの要素が詰め込まれている。

★（あらすじ）北川光雄の叔父が長崎の片田舎に建つ古い時計塔のある屋敷を購入した。幽霊が出ると噂されるが、この屋敷を改築して

それは今から二十年も前、大正のはじめの出来事なのだが、あの事件を思い出すたびに、私は長い恐ろしい夢を見たのではなかったかと、疑わないではいられぬくらいだ。

その事件に出てくるものは、美しい女の幽霊ばかりではない。淋しい山の中に、まるで一つ目の巨人のようにそびえている古い古い時計塔がある。何百万匹、何千万匹というクモが、ウジャウジャとうごめいている、世にも恐ろしい虫屋敷がある。

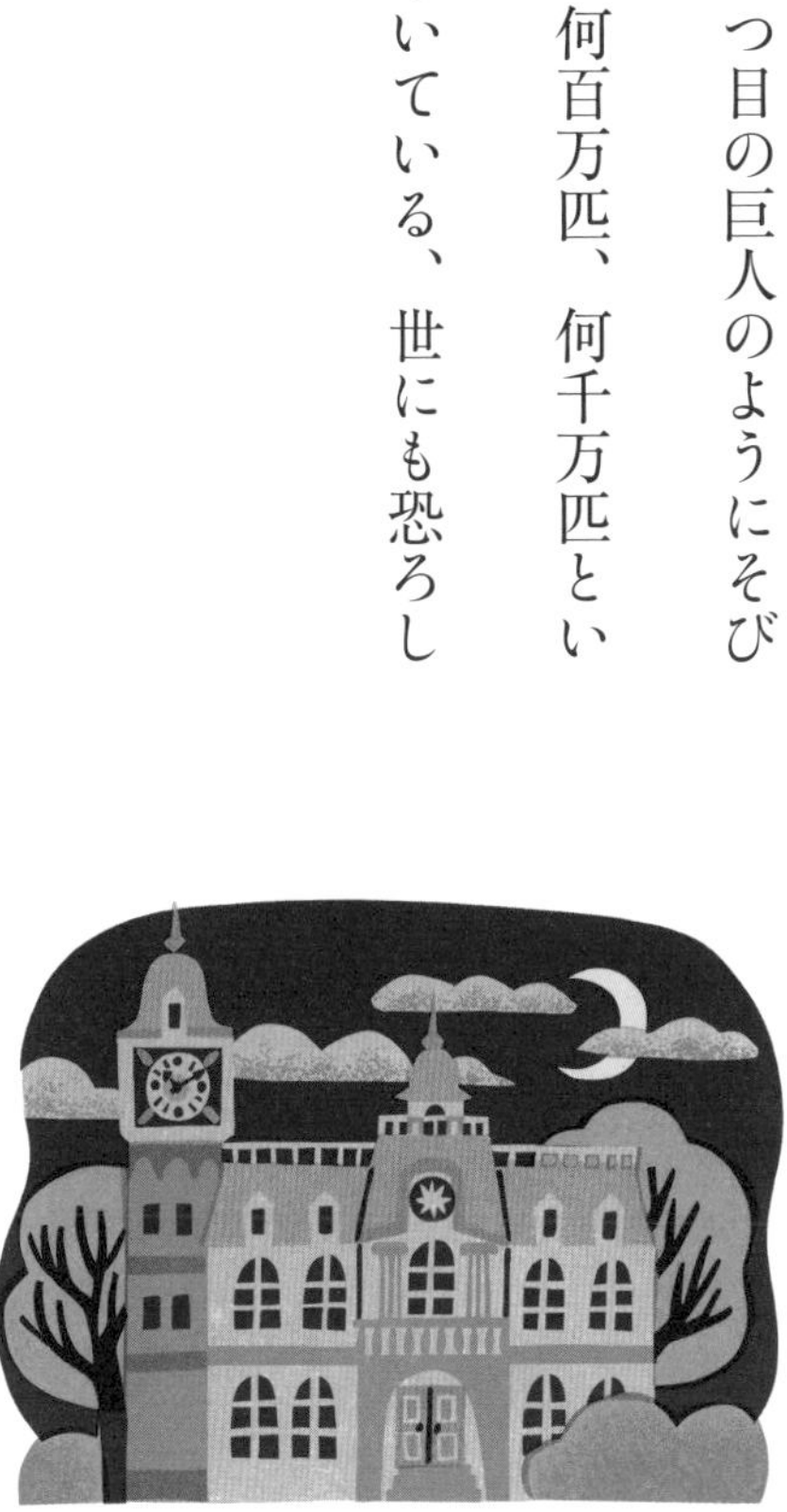

住むということで光雄が下見にこの屋敷を訪れた。そこで絶世の美女、野末秋子と出逢い、魅了されていくが……。

# 江戸川乱歩『幽霊塔』①

この世の中に、私ほど怪奇な、恐ろしい経験談を持って
いるものはあるまい。幽霊というものがあるかないかは知
知らぬが、この私の経験談というのは、く淋しい山村に立ちく
くされた化物屋敷のような古い家の中を、フワフワとさま
さまよっていた幽霊みたいな人物が中心となっているのだ。‖
しかも、その幽霊はく「牡丹燈籠《ぼたんどうろう》」の芝居のお露《つゆ》のように、若
若くて美しい女であった。く

□ 高く読む
～ ゆっくり読む
‖ 強く読む
く ポーズ（間をおく）
□ 感情を込める
⤵ 読点があるが、区切らず続けて読む

それは今から**二十年**も前、大正のはじめの出来事なのだが、あの事件を思い出すたびに、私は**長い恐ろしい夢**を見たのではなかったかと、疑わないではいられぬくらいだ。

その事件に出てくるものは、美しい女の幽霊**ばかりではない**。淋しい山の中に、まるで一つ目の巨人のようにそびえている**古い古い時計塔**がある。**何百万匹**、**何千万匹**という**クモ**が、ウジャウジャとうごめいている、**世にも恐ろしい虫屋敷**がある。

### りえの朗読ポイント

古い時計塔、無数のクモがうごめく虫屋敷……想像するだけでゾッとしますね。
恐ろしい話を聴かせる「怪談師」になったつもりで朗読をスタートさせましょう。

## 薄暗い地下室で起こった悪夢をスリリングに！

# 江戸川乱歩『幽霊塔』②

それから、ああ、あんなことが、たった二十年前のこの日本にあったのだろうか。悪夢としか考えられない。しかし、私は見たのだ。この眼で見たのだ。震災前の東京の賑やかな或る町に、だれも知らない地下室があった。その地下室で私は見たのだ。見たばかりではない。或る世にも異様な人物と話しさえしたのだ。

その薄暗い地下室になにがあったか。どんな魔術師が住んでいたのか、私はそれを口にするのさえ恐ろしい。そこでは、この世のあらゆる不可能が可能にされていたといっても過言ではない。しかも、理路整然と、あくまで科学的に、それが行なわれていたのだ。

# 江戸川乱歩『幽霊塔』②

それから、**ああ、あんなことが**、たった二十年前の**この日本にあったのだろうか**。**悪夢**としか考えられない。しかし、**私は見たのだ。この眼で見たのだ**。震災前の東京の賑やかな或る町に、**だれも知らない地下室があった**。その地下室で私は見たのだ。見たばかりではない。或る**世にも異様な人物と話しさえしたのだ**。

その薄暗い地下室になにがあったか。どんな魔術師が住

□ 高く読む
〰 ゆっくり読む
‖ 強く読む
く ポーズ（間をおく）
□ 感情を込める
⤸ 読点があるが、区切らず続けて読む

住んでいたのか、私はそれを口にするのさえ恐ろしい。~~そこ~~
そこでは、この世の**あらゆる不可能が可能にされていた**といっても
~~ても~~過言ではない。しかも、**理路整然**と、あくまで**科学的**に、
~~に~~、それが行なわれていたのだ。

## りえの朗読ポイント

3行めの「私は見たのだ。この眼で見たのだ」を主人公の気持ちを代弁するように強調しましょう！

その後の文では「地下室」がキーワード。薄暗く、おどろおどろしい地下室をイメージしてください。

明治の時代を強く生き抜いた女性に遠く思いをはせる

# 有吉佐和子『紀ノ川』①

今年七十六歳になる豊乃《とよの》は、花《はな》の手をひいて石段を一歩一歩、ふみしめるように上って行った。三日前から呼びよせてある和歌山市の髪結女の手で、彼女の白髪《はくはつ》も久々で結いあげられていた。小さく鬢《びん》を張り、髱《たぼ》もその齢《とし》には珍しく大きく出ている。若い頃《ころ》の黒髪はさぞ見事だったろうと偲《しの》ばれるほど、白くなった今も髪は多くて艶《つや》を失っていないのだった。小紋の重ね着という盛装で孫娘と手をつなげ

■有吉佐和子（1931〜1984）
和歌山県生まれ。東京女子大学短期大学部英語科卒。日本の歴史、古典芸能、現代の社会問題など幅広いテーマの小説を発表した。主な作品は『華岡青洲の妻』『恍惚の人』『複合汚染』など。また、『ふるあめりかに袖はぬらさじ』などの戯曲作品や、自作小説の脚本化や舞台演出も数多く手がけた。受賞歴は芸術選奨文部大臣賞など多数。海外と日本、和歌山に住む人々を見つめ続け、53歳の若さで急逝した。

●『紀ノ川』
1959年発表の作品。家霊的で絶対の存在である祖母・花、男のような侠気があり、独立自尊の気持の強い母・文緒、大学を卒業して出版社に就職した戦後世代の娘・華子。紀州和歌山の旧家に生まれた3世代の女性たちが、明治・大正・昭和をたくましく生き抜いた年代記的長編。

ば、石段を上るにも手をひかれる齢《よわい》が逆に花の手をひいているように見えるのである。それは紀本《きもと》の大御《おおご》っさんと呼ばれる貫禄《かんろく》というものであり、花が紀本家を出る今日、豊乃に何かの決意があるからでもあった。

★（あらすじ）紀本家本家を取り仕切る豊乃の孫娘・花は、真谷家本家の長男敬策の元に嫁ぐことになった。豪勢な輿入れになったのだが、花に好意を寄せていた敬策の弟・浩策はうかぬ顔であった。嫁として夫を支える日々を過ごしていた花だったが、長男が生まれた秋、紀ノ川が嵐で氾濫し、農作物に甚大な被害をもたらした。

# 有吉佐和子『紀ノ川』①

今年**七十六歳**になる**豊乃**《とよの》は、**花**《はな》の手をひいて石段を一歩一歩、**ふみしめるように**上って行った。三日前から呼びよせてある和歌山市の**髪結女**の手で、彼女の白髪《はくはつ》も久々で結い結いあげられていた。小さく鬢《びん》を張り、髱《たぼ》もその齢《とし》には珍しく**大きく**出ている。**若い頃**《ころ》**の黒髪**はさぞ**見事**だったろうと偲《しの》ばれるほど、白くなった**今**も髪は多くて艶《つや》を失っていないのだった。小紋の重ね着という**盛装**で孫娘と手をつなげば、

高く読む
〜 ゆっくり読む
‖ 強く読む
く ポーズ（間をおく）
感情を込める
♪ 読点があるが、区切らず続けて読む

ば、石段を上るにも手をひかれる齢《よわい》が〈**逆に花の手をひいて**
**いるように**見えるのである。それは**紀本《きもと》の大御《おおご》っさん**と
呼ばれる〈**貫禄《かんろく》**というものであり、**花が紀本家を出る今日、**
豊乃に何かの**決意**があるからでもあった。

## りえの朗読ポイント

76歳になる、主人公の祖母・豊乃が描かれたシーンです。張りのある声で背筋をピンと張って読みましょう。豊乃の年齢を重ねても若々しく凛々しい様子が伝わります。

## 他家に嫁ぐ娘のけなげな決意と心情をしみじみと

# 有吉佐和子『紀ノ川』②

早春の九度山《くどやま》は、朝靄《あさもや》に包まれていた。花は左手に祖母の強い力を感じながら黙って石段を上りきった。髪は高島田に艶やかに結いあげ、濃く白粉《おしろい》を刷《は》いた顔は心もち上気して匂《にお》うようであった。縮緬《ちりめん》の振袖《ふりそで》は明るい紫で、胸許《むなもと》に筥迫《はこせこ》の飾りかんざしが長いびらびらを振りあわせて鳴っている。その小さな音が聞こえるほど、花も緊張しているのであった。生れて二十年育った家から、他家へ縁づけば花はもう紀本家の者ではない。豊乃の掌《てのひら》は孫にそう教えようとして、それを強く惜しむ祖母の心をも同時に伝えていた。

# 有吉佐和子『紀ノ川』②

早春の九度山《くどやま》は、朝靄《あさもや》に包まれていた。花は左手に祖母の
の強い力を感じながら黙って石段を上りきった。髪は高島田に
田に艶やかに結いあげ、濃く白粉《おしろい》を刷《は》いた顔は心もち上気して
して匂《にお》うようであった。縮緬《ちりめん》の振袖《ふりそで》は明るい紫で、胸許《むなもと》に
筥迫《はこせこ》の飾りかんざしが長いびらびらを振りあわせて鳴っている。
いる。その小さな音が聞こえるほど、花も緊張しているので
であった。生れて二十年育った家から、他家へ縁づけば花は

- □ 高く読む
- 〜 ゆっくり読む
- ‖ 強く読む
- く ポーズ（間をおく）
- □ 感情を込める
- ⤵ 読点があるが、区切らず続けて読む

はもう**紀本家の者ではない。**豊乃の掌《てのひら》は孫に**そう教えよう**として、それを**強く惜しむ祖母の心**をも同時に伝えていた。

## りえの朗読ポイント

前項①の同じシーンが、今度は主人公・花の立場で描写されています。豊乃とは対照的に、花のまだ若く、か弱い様子が描かれています。かわいらしい感じで読むことで雰囲気が伝わります。

「生れて二十年育った家から……」からは祖母・豊乃の強い思いが描かれている箇所。３秒ほど間を空けてから、前半とトーンをガラッと変えて、力強く読みましょう。

瑞々しい色彩が鮮やかに浮かび上がる、隠れた名作

# 芥川龍之介『蜜柑《みかん》』

するとその瞬間である。窓から半身を乗り出していた例の娘が、あの霜焼けの手をつとのばして、勢《いきおい》よく左右に振ったと思うと、忽《たちま》ち心を躍《おど》らすばかり暖《あたたか》な日の色に染まっている蜜柑が凡《およ》そ五つ六つ、汽車を見送った子供たちの上へばらばらと空から降って来た。私は思わず息を呑んだ。そうして刹那《せつな》に一切を了解した。小娘は、恐らくはこれから奉公先へ赴《おもむ》こうとしている小娘は、その懐《ふところ》に蔵し

■芥川龍之介（1892～1927）

東京生まれ。東京帝国大学英文科在学中から創作を始め、短編『鼻』が夏目漱石の激賞を受ける。その後は『羅生門』『芋粥』『藪の中』などを発表。西欧の短編小説の手法なども駆使し、東西の文献資料に材を仰ぎながら、自身の主題を見事に小説化した傑作を多数生み出した。没後の遺稿に『歯車』『或阿呆の一生』などがある。

●『蜜柑』

1919年に発表された短編小説。横須賀線列車を通勤に利用していたときの作者の体験をもとに書かれた作品で、雑誌掲載時は『私の出遇つた事』というタイトルだったが、単行本収録時に『蜜柑』に改題された。

★（あらすじ）主人公は横須賀駅で汽車が発車するのをぼんやりと待っていた。乗客は自分以外に誰もいなかったが、発車寸前に14歳くらいの娘が乗り込んできて、自

ていた幾顆《いくか》の蜜柑を窓から投げて、わざわざ踏切りまで見送りに来た弟たちの労に報いたのである。

暮色を帯びた町はずれの踏切りと、小鳥のように声を挙げた三人の子供たちと、そうしてその上に乱落《らんらく》する鮮《あざやか》な蜜柑の色と――すべては汽車の窓の外に、瞬《またた》く暇もなく通り過ぎた。が、私の心の上には、切ない程はっきりと、この光景が焼きつけられた。

分の向かいに座った。主人公は、いかにも田舎娘といった容貌を見て非常に下品に感じたが――。

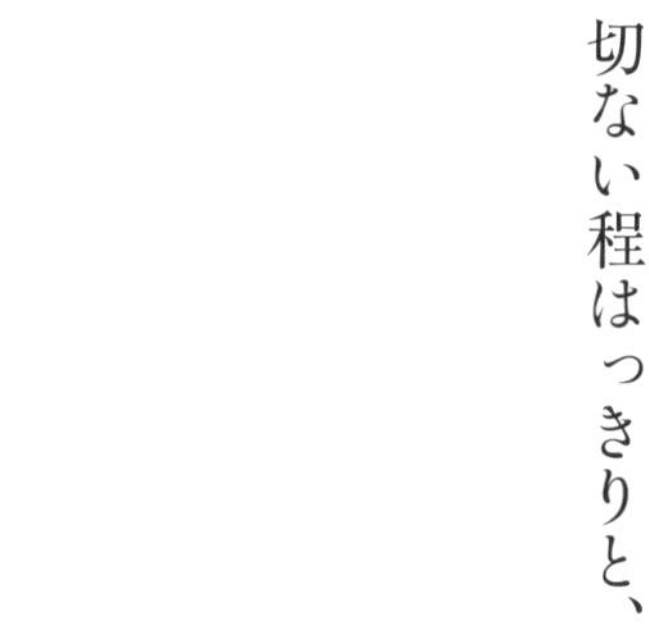

# 芥川龍之介『蜜柑《みかん》』

するとその瞬間である。窓から半身を乗り出していた例の娘が、あの霜焼けの手をつとのばして、勢《いきおい》よく左右に振ったと思うと、忽《たちま》ち心を躍《おど》らすばかり暖《あたたか》な日の色に染まっている蜜柑が凡《およ》そ五つ六つ、汽車を見送った子供たちの上へばらばらと空から降って来た。私は思わず息を呑んだ。そうして刹那《せつな》に一切を了解した。小娘は、恐らくはこれから奉公先へ赴《おもむ》こうとしている小娘は、その懐《ふところ》に蔵して

□ 高く読む
～ ゆっくり読む
‖ 強く読む
く ポーズ（間をおく）
□ 感情を込める
⤸ 読点があるが、区切らず続けて読む

せいた幾顆《いくか》の蜜柑を窓から投げて、わざわざ**踏切りまで**見
見送りに来た**弟たちの労に報いたのである。**
**暮色**を帯びた町はずれの踏切りと、**小鳥のように**声を挙げた
げた三人の子供たちと、そうしてその上に乱落《らんらく》する**鮮**《あざやか》**な**
**蜜柑の色と**——すべては汽車の窓の外に、瞬《またた》く暇もなく通
通り過ぎた。が、私の心の上には、**切ない程はっきりと、こ**
**この光景が焼きつけられた。**

## りえの朗読ポイント

憂鬱な気持ちで列車に乗っていた主人公が、少女の行動によって気持ちが晴れ、救われるというシーンです。主人公の陰鬱でモノトーンな精神状態が、鮮やかな蜜柑色に染まっていくという、「色彩の変化」がこの文の最大のポイントです。「暮色を帯びた町はずれ……」からラストまで高揚感をもって読むことで、それが表現できます。

## 数奇な姫の運命を思いながら、耽美的な澁澤の世界を表現

# 澁澤龍彦『ねむり姫』

それはともかく、珠名姫《たまなひめ》はまだ幼いながら、その名が示す通り珠をきざんだような小づくりな美貌の持主で、蒼味をおびるまでに透きとおった、或る種の貝の真珠層を思わせるような皮膚の色をしていた。しかも皮膚の下に、ほんの少しの風でも吹けばたちまち消えてしまいそうな、小さな蠟燭《ろうそく》のゆらめく焰《ほのお》があって、それが内部から貝殻の蒼みをほんのり明るませているといったふぜいである。このい

■澁澤龍彦（1928〜1987）
東京生まれ。東京大学文学部仏文学科卒。小説家、フランス文学者、評論家。マルキ・ド・サドやジャン・コクトーなどの著作の翻訳や、中世の悪魔学などのエッセイ、独自の幻想小説など、幅広いジャンルで精力的な執筆活動を行った。人間精神や文明の暗黒面に光を当てたエッセイが世間に与えた影響は大きく、小説家としても独自の世界を開いた。

●『ねむり姫』
後白河法皇の時代の京の都が舞台。はかなくも美しい珠名姫と、彼女の腹違いの兄であり山賊に身をやつしたつむじ丸がたどる、数奇な運命の物語。1983年発表の作品。

★（あらすじ）京に住むある中納言の娘・珠名姫は、14歳になったある日、突然深い昏睡に入ってしまう。祈祷や御祓《おはら》いなどさまざまなことをしても、いっこうに目覚め

のちの火ともいうべき蠟燭はいつ消えてしまうか分らない。はかなげといえばこれほどはかなげな印象はなく、その美しさに目を奪われるよりも早く、ひとびとはつい姫の将来を案じたくなるような、なにがなし憂《うれ》わしい気分にとらわれがちであった。

る気配がない。珠名姫が深い昏睡に入ったまま、月日はどんどん流れていき――。

# 澁澤龍彦『ねむり姫』

それはともかく、珠名姫《たまなひめ》はまだ幼いながら、その名が示
示す通り珠をきざんだような小づくりな美貌の持主で、蒼味を
をおびるまでに透きとおった、或る種の貝の真珠層を思わ
せるような皮膚の色をしていた。しかも皮膚の下に、ほん
の少しの風でも吹けばたちまち消えてしまいそうな、小さな
な蠟燭《ろうそく》のゆらめく焔《ほのお》があって、それが内部から貝殻の蒼みを
をほんのり明るませているといったふぜいである。このい

□ 高く読む
～ ゆっくり読む
‖ 強く読む
く ポーズ（間をおく）
□ 感情を込める
⤸ 読点があるが、区切らず続けて読む

**いのちの火**ともいうべき蠟燭はいつ消えてしまうか分らない。
~~い。~~**はかなげ**といえばこれほどはかなげな印象はなく、~~そ~~
その美しさに目を奪われるよりも早く、ひとびとは**つい姫の**
**将来を案じたくなるような**、なにがなし**憂《うれ》わしい**気分に~~と~~
とらわれがちであった。

## りえの朗読ポイント

「珠名姫」のはかなげな美しさの描写が見事です。とくに前半の表現は繊細ですばらしい。ただ一文が長いので、切りどころを間違えないように気をつけましょう。できるだけ透明感のあるトーンで、珠名姫の消え入りそうな美しさを表現しましょう。

「焦り」や「恐怖」の表現に挑戦！ 朗読スキルがアップ

# 梶井基次郎『檸檬《れもん》』①

えたいの知れない不吉な塊が私の心を始終圧《おさ》えつけていた。焦躁《しょうそう》と言おうか、嫌悪と言おうか——酒を飲んだあとに宿酔《ふつかよい》があるように、酒を毎日飲んでいると宿酔に相当した時期がやって来る。それが来たのだ。これはちょっといけなかった。結果した肺尖《はいせん》カタルや神経衰弱がいけないのではない。また背を焼くような借金などがいけないのではない。いけないのはその不吉な塊だ。以前私を喜ばせ

■梶井基次郎（1901〜1932）
大阪府生まれ。東京帝国大学文学部中退。東大在学中の1925年に同人誌「青空」を創刊し、『檸檬』を発表。感覚と知性が融合した簡潔な描写と詩情豊かな文体で、『城のある町にて』『桜の樹の下には』など同人誌を中心に20作品あまりを発表した。肺結核のため、文壇に認められて間もない31歳の若さで逝去。没後、次第に評価が高まっていった。

●『檸檬』
梶井の代表的な短編小説。作者が学生時代に抱いていた心理を背景に、得体の知れない憂鬱な心情や、ふと思いついたいたずらな感情を、色彩豊かな事物や心象とともに詩的に描いた。1925年発表の作品。

★（あらすじ）「えたいの知れない不吉な塊」が「私」の心を始終押さえつけていた。好きな音楽も、詩も、場所も、すべてが重苦しいも

たどんな美しい音楽も、どんな美しい詩の一節も辛抱がならなくなった。蓄音器を聴かせてもらいにわざわざ出かけて行っても、最初の二三小節で不意に立ち上がってしまいたくなる。何かが私を居堪《いたたま》らずさせるのだ。それで始終私は街から街を浮浪し続けていた。

のに変わってしまった。焦燥の日々が続くなか、「私」は京都の街から街へとさまよい歩いていた……。

# 梶井基次郎『檸檬《れもん》』①

えたいの知れない**不吉な塊**が私の心を始終圧《おさ》えつけていた。**焦躁《しょうそう》**と言おうか、**嫌悪**と言おうか――酒を飲んだあとに宿酔《ふつかよい》があるように、酒を毎日飲んでいると宿酔に相当した時期がやって来る。それが来たのだ。**これはちょっといけなかった**。結果した**肺尖《はいせん》カタル**や**神経衰弱**がいけないのではない。また背を焼くような**借金**などがいけないのではない。いけないのはその**不吉な塊**だ。以前私を喜ばせた

□ 高く読む
〜 ゆっくり読む
‖ 強く読む
く ポーズ（間をおく）
□ 感情を込める
⤸ 読点があるが、区切らず続けて読む

た**どんな美しい音楽**も、**どんな美しい詩の一節**も**辛抱がな**
**ならなくなった**。蓄音器を聴かせてもらいにわざわざ出かけて
て行っても、最初の二三小節で不意に立ち上がってしまいたくなる。
たくなる。**何かが**私を居堪《いたたま》らずさせるのだ。それで始終私は
は街から街を**浮浪し続けていた**。

### りえの朗読ポイント

主人公の不安定な精神状態が描写されています。きっと誰もが、一度はこうした「恐怖」や「焦り」を感じたことがあるのではないでしょうか。それを思い出して主人公の気持ちになって読むことで、声色に不安や焦りが自然に表れてきます。読みづらい言葉や言い回しもありますが、焦らずゆっくり読むことを心がけましょう。

## 朗読の間をとることで時間や空間の切り替わりを表現

# 梶井基次郎『檸檬』②

私は埃《ほこり》っぽい丸善の中の空気が、その檸檬の周囲だけ変に緊張しているような気がした。私はしばらくそれを眺めていた。

不意に第二のアイディアが起こった。その奇妙なたくらみはむしろ私をぎょっとさせた。

――それをそのままにしておいて私は、なに喰《く》わぬ顔をして外へ出る。――

★（『檸檬』②のあらすじ）ある果物屋で「私」の好きな檸檬をひとつ買った。その足で、よく通っていた文具書店の丸善に立ち寄ったが、以前のように画本に魅力を感じない。そこでふと、檸檬をその上に置いてみた。すると、檸檬を「爆弾」に見立てたアイデアが頭に浮かび――。

私は変にくすぐったい気持がした。「出て行こうかなあ。そうだ出て行こう」そして私はすたすた出て行った。

変にくすぐったい気持が街の上の私を微笑《ほほえ》ませた。丸善の棚へ黄金色に輝く恐ろしい爆弾を仕掛けて来た奇怪な悪漢が私で、もう十分後にはあの丸善が美術の棚を中心として大爆発をするのだったらどんなにおもしろいだろう。

# 梶井基次郎『檸檬』②

私は埃《ほこり》っぽい丸善の中の空気が、その**檸檬**の周囲だけ変に**緊張しているような**気がした。私はしばらく**それを眺めていた**。

**不意に第二のアイディア**が起こった。その奇妙なたくらみはみはむしろ私を**ぎょっとさせた**。

――それをそのままにしておいて私は、**なに喰わぬ顔をして**して**外へ出る**。――

□ 高く読む
〜 ゆっくり読む
‖ 強く読む
く ポーズ（間をおく）
□ 感情を込める
⤸ 読点があるが、区切らず続けて読む

私は変に**くすぐったい**気持がした。「出て行こうかなあ。

そうだ出て行こう」そして私は**すたすた**出て行った。

（店から外に出る時間の経過をイメージしてしっかり間をとること）

変にくすぐったい気持が街の上の私を**微笑《ほほえ》ませた**。丸善の棚へ**黄金色に輝く恐ろしい爆弾**を仕掛けて来た奇怪な悪漢が**私で**、もう十分後にはあの丸善が美術の棚を中心として大爆発をするのだったら**どんなにおもしろいだろう**。

## りえの朗読ポイント

「そして私はすたすた出て行った」の後の部分がポイントです。店から外に出る「時間の経過」や「場面の移り変わり」を表現するために、この一文の後、思い切って3秒ほど間をとりましょう。その間に自分の気持ちも一緒に切り替えて、ラストまで読み切ります。

第5章

# 朗読作品〈上級〉

難易度の高い文章や言い回し、
独特の世界観を楽しみながら、
さまざまなトーンの作品を
声で演じ分けましょう!

## 利休の意外な男らしさにドキッとさせられる

# 野上弥生子『秀吉と利休』①

堺《さかい》の家では、朝寝も利休には愉《たの》しみのひとつであった。

とりわけその日は、まえの夜おそく帰りついたくたびれもあり、晩春の熱量のました太陽が軒のすかし窓を通し、部屋の障子のひと枠《わく》、ひと枠を黄じろく染めるまで、おもいきり寝ぼうをした。

それもきまりで、起きると朝湯の用意ができている。

土地らしい潮湯のむし風呂《ぶろ》である。粗《あ》らいすきまのある

■**野上弥生子**（1885〜1985）
大分県生まれ。明治女学校高等科卒。夏目漱石の推薦で『縁』を「ホトトギス」に発表。以後、写実主義に根差す作風と、理知的リアリズムとで市民的良識を描き続け、1965年文化功労者に選ばれ、1971年文化勲章を受章。作品は『真知子』『迷路』『秀吉と利休』など多数。明治から昭和末期まで80年あまり作家活動を行った。

●**『秀吉と利休』**
激動の時代を生きた豊臣秀吉と千利休。偉大なふたりが時代の中で抱いていた劇的な葛藤を、著者の独創的な着眼点と丹念な描写によって書き上げた格調高い歴史小説。1962〜1963年発表。

★**（あらすじ）** 茶道の大成者である千利休は堺の豪商でもあった。豊臣秀吉の深い信頼と傾倒を受けていた利休は、茶事だけでなく、政治の分野にも奉仕していた。強い

床の下から吹きあがる潮の香の強い湯気は、まあたらしい筵《むしろ》を通して、浴槽《よくそう》いっぱいにもうもうとたち籠《こ》めている。

狭い戸は、大男で七十に近づきながら骨格、肉づきに衰えのない利休には窮屈すぎても、なにか躙《にじ》り口《ぐち》をはいるような身のこなしで上手にもぐりこむ。

絆のふたりに見えたが、利休の弟子の山上宗二が秀吉によって殺されたことで、ふたりの関係は大きく変わってゆく。

# 野上弥生子『秀吉と利休』①

**堺**《さかい》の家では、**朝寝**も利休には愉《たの》しみのひとつであった。

とりわけその日は、まえの夜**おそく**帰りついたくたびれもあり、ありｗ、晩春の熱量のました太陽が軒のすかし窓を通し、部部屋の障子の**ひと枠**《わく》**、ひと枠を黄じろく**染めるまで、**おもいきりきり**寝ぼうをした。

それもきまりで、起きると**朝湯**の用意ができている。

土地らしい**潮湯のむし風呂**《ぶろ》である。粗《あ》らいすきまのある

□ 高く読む
～ ゆっくり読む
‖ 強く読む
く ポーズ（間をおく）
□ 感情を込める
⤸ 読点があるが、区切らず続けて読む

床の下から吹きあがる潮の香の強い**湯気**は、まあたらしい筵《むしろ》を通して、浴槽《よくそう》**いっぱいに****もうもうと**たち籠《こ》めている。

**狭い戸**は、大男で七十に近づきながら骨格、肉づきに衰えのない利休には**窮屈すぎても**、なにか躙《にじ》り口《ぐち》をはいるような身のこなしで**上手に**もぐりこむ。



## りえの朗読ポイント

**利休の圧倒的なカリスマ性、70歳近くても衰えない男の色気がほとばしるような人物として利休が描かれています。男らしく、生き生きと力強く読むといいでしょう。**

ダイナミックな湯あみのシーンは、読むだけで爽快な気分に！

## 野上弥生子『秀吉と利休』②

はおった麻の浴衣《よくい》は洗布《あらいふ》でもあった。冬でもないかぎり長くははいっていないが、からだはたんねんにこすり廻《まわ》す。熱した塩分の浸透は、肢体《したい》から関節のふしぶしまで鞣《な》めし、なおまた湯気でねっとりした皮膚に、板敷の大だらいの水をざぶざぶ浴びる爽快《そうかい》さはいいようがなかった。ぬぎ捨てた浴衣とついのもう一枚が、隅《すみ》の籠《かご》にはいっている。利休は濡《ぬ》れたはだか身にひっかけ、今度はそれで全身を拭《ふ》きとってから、極楽、極楽、といいつつ向う側の仕きり戸をあける。鏡台や衣桁《いこう》のおかれた小部屋で、着がえを膝《ひざ》において待つのは後妻のりきであった。

# 野上弥生子『秀吉と利休』②

はおった麻の浴衣《よくい》は洗布《あらいふ》でもあった。冬でもないかぎり
長くははいっていないが、からだはたんねんにこすり廻《まわ》す。
す。熱した塩分の浸透は、肢体《したい》から関節のふしぶしまで鞣《な》
鞣《な》めし、なおまた湯気でねっとりした皮膚に、板敷の大だら
大だらいの水をざぶざぶ浴びる爽快《そうかい》さはいいようがなかった。
ぬぎ捨てた浴衣とついのもう一枚が、隅《すみ》の籠《かご》にはいっている。
いる。利休は濡《ぬ》れたはだか身にひっかけ、今度はそれで全

□ 高く読む
〜 ゆっくり読む
‖ 強く読む
く ポーズ（間をおく）
□ 感情を込める
⤸ 読点があるが、区切らず続けて読む

**全身**を拭《ふ》きとってから、**極楽、極楽**、といいつつ向う側の仕切り戸をあける。鏡台や衣桁《いこう》のおかれた小部屋で、着がえを膝《ひざ》において待つのは後妻の**りき**であった。

## りえの朗読ポイント

こちらも朝湯のシーンの続きです。豪快に水を浴びる姿や、利休の骨格の良い肉体美が描かれており、人物のオーラや魅力が存分に表現されています。

人間とは何か？ 良心とは何か？ 人生哲学を学べる作品

# 小林秀雄『考えるヒント』①

私は、徒《いたず》らな空想をしているのではない。人間の良心に、外部から近づく道はない。無理にも近づこうとすれば、良心は消えてしまう。これはいかにも不思議な事ではないか。人間の内部は、見透しの利かぬものだ。そんな事なら誰も言うが、人間がお互いの眼に見透しのものなら、その途端に、人間は生きるのを止めるだろう。何という不思議か、とは考えてみないものだ。恐らくそれは、あまり

■小林秀雄（1902～1983）
東京生まれ。東京帝国大学文学部仏文科卒。1929年『様々なる意匠』が「改造」懸賞評論第二席に入選し、その後も作品を発表。また、雑誌で文芸時評を連載し、批評家としての地位を確立した。1963年に文化功労者に選ばれ、1967年には文化勲章を受章した。主な作品に『ドストエフスキイの生活』『無常といふ事』『考えるヒント』など。

●『考えるヒント』
1974年に刊行された随筆集。出版社の編集者が出すお題をもとに小林秀雄が持論を展開していくという内容で、常識、漫画、良心、歴史、言葉、役者、ヒットラーと悪魔などについて語られていく。さりげない口調ではじまるが、やがて思いもかけぬ発想と思索で読者を新たな発見に導く。

★（あらすじ）「嘘発見機」が誕生し、警察でも広く使われ出したこ

に深い真理であるが為であろうか。ともあれ、良心の問題は、人間各自謎を秘めて生きねばならぬという絶対的な条件に、固く結ばれている事には間違いなさそうである。

ろ、ある事件が起きた。詐欺・風紀上の違反・窃盗などの罪である男が逮捕されたが、窃盗だけは強く否認を続けている。しかし、裁判所は嘘発見機の記録のほうを採用したのだった。そこに人間の「良心」という深い問題があるという。

# 小林秀雄『考えるヒント』①

私は、徒《いたず》らな空想をしているのではない。人間の**良心**に、外部から近づく道は**ない**。**無理**にも近づこうとすれば、良心は**消えてしまう**。これはいかにも**不思議**な事ではないか。人間の内部は、**見透しの利かぬ**ものだ。そんな事なら誰も言うが、人間がお互いの眼に見透しのものなら、その途端に、人間は**生きるのを止めるだろう**。何という**不思議**か、とは考えてみないものだ。恐らくそれは、あまりに

□ 高く読む
〜 ゆっくり読む
‖ 強く読む
く ポーズ（間をおく）
□ 感情を込める
⤸ 読点があるが、区切らず続けて読む

は**深い真理**であるが為であろうか。ともあれ、良心の問題は、人間各自**謎を秘めて生きねばならぬという**絶対的な条件に、固く結ばれている事には間違いなさそうである。

### りえの朗読ポイント

文章は平易で難しい言葉も使われていないのですが、深い洞察力をもって「人間とは何か」について述べられています。サラッと読んでしまうとまったく伝わりません。いかに相手に思索を投げかけられるかが、この朗読の勝負どころです。ご自分なりの解釈を得てから読むことがポイントです。

「考える」とは何か、朗読することでさらに深い思索の旅へ

# 小林秀雄『考えるヒント』②

考えるとは、合理的に考える事だ。どうしてそんな馬鹿気た事が言いたいかというと、現代の合理主義的風潮に乗じて、物を考える人々の考え方を観察していると、どうやら、能率的に考える事が、合理的に考える事だと思い違いしているように思われるからだ。当人は考えている積りだが、実は考える手間を省いている。そんな光景が到る処《ところ》に見える。物を考えるとは、物を摑んだら離さぬという事

だ。画家が、モデルを摑んだら得心の行くまで離さぬというのと同じ事だ。だから、考えれば考えるほどわからなくなるというのも、物を合理的に究めようとする人には、極めて正常な事である。だが、これは、能率的に考えている人には異常な事だろう。

# 小林秀雄『考えるヒント』②

考えるとは、合理的に考える事だ。どうしてそんな馬鹿気た事が言いたいかというと、現代の合理主義的風潮に乗じて、物を考える人々の考え方を観察していると、どうやら、能率的に考える事が、合理的に考える事だと思い違いしているように思われるからだ。当人は考えている積りだが、実は考える手間を省いている。そんな光景が到る処《ところ》に見える。物を考えるとは、物を摑んだら離さぬという事だ。

□ 高く読む
～ ゆっくり読む
‖ 強く読む
く ポーズ（間をおく）
□ 感情を込める
⤸ 読点があるが、区切らず続けて読む

だ。画家が、モデルを摑んだら得心の行くまで離さぬというのと同じ事だ。だから、考えれば考えるほどわからなくなるというのも、物を合理的に究めようとする人には、極めて正常な事である。だが、これは、能率的に考えている人には異常な事だろう。

### りえの朗読ポイント

前項①に比べてわかりやすい内容になっています。私は小林秀雄が言いたかったことは「考えれば考えるほどわからなくなる」の部分だと感じたので、ゆっくり読んで強調しました。みなさんはいかがでしょうか？ ご自身なりの解釈で強調ポイントを変えて、楽しみながら読んでみてください。

いきなり現れるエキセントリックな展開に脳がフル回転！

# 横光利一『機械』①

初めの間は私は私の家の主人が狂人ではないのかとときどき思った。観察しているとまだ三つにもならない彼の子供が彼をいやがるからといって親父《おやじ》をいやがる法があるかといって怒っている。畳の上をよちよち歩いているその子供がばったり倒れるといきなり自分の細君《さいくん》を殴りつけながらお前が番をしていて子供を倒すということがあるかという。見ているとまるで喜劇だが本人がそれで正気だから反

■横光利一（1898〜1947）
福島県生まれ。早稲田大学予科中退。菊池寛に師事し、1921年に『父』、翌年『南北』、1935年に『比叡』を発表。その後、川端康成らと「文藝時代」を創刊し、「新感覚派」の代表作家となった。のちに「新心理主義」に転じ、昭和初期の代表作家として活躍。『日輪』『機械』『上海』『旅愁』など、数多くの作品を発表した。

●『機械』
1930年に発表した著者の代表的作品。「私」の心理をとおして、製造所で起こった作業員同士の疑心暗鬼から、重大な結末に至るまでの経過を独白する物語。あえて段落や句読点を少なくし、一人称の「私」以外の「四人称」の「私」という視点を用いるなど、新手法を駆使した実験小説でもある。

★（あらすじ）「私」は、九州の造船所を出て上京し下宿を探していた

対にこれは狂人ではないのかと思うのだ。少し子供が泣きやむともう直《す》ぐ子供を抱きかかえて部屋の中を馳《か》け廻《まわ》っている四十男。この主人はそんなに子供のことばかりにかけてそうかというとそうではなく、およそ何事にでもそれほどな無邪気さを持っているので自然に細君がこの家の中心になって来ているのだ。

ところ、ネームプレート製造所を紹介され住み込みで働くことになった。人体に危険な劇薬を扱う仕事で、同僚の軽部による理不尽な嫌がらせもあったりしたが、辛抱して続けていた。しかしある日、応援の職人・屋敷が来たことにより、職場の人間関係はより複雑になっていく……。

# 横光利一『機械』①

初めの間は私は私の家の主人が**狂人ではないのか**とときどき思った。観察しているとまだ三つにもならない彼の子供が彼を**いやがるから**といって**親父《おやじ》をいやがる法があるか**といって怒っている。畳の上をよちよち歩いているその子供がばったり倒れるといきなり自分の細君《さいくん》を殴りつけながら**お前が番をしていて子供を倒すということがあるか**という。見ているとまるで**喜劇**だが本人がそれで正気だから反

□ 高く読む
～ ゆっくり読む
‖ 強く読む
く ポーズ（間をおく）
□ 感情を込める
♪ 読点があるが、区切らず続けて読む

反対にこれは**狂人**ではないのかと思うのだ。少し子供が泣きやむともう直《す》ぐ子供を抱きかかえて部屋の中を馳《か》け廻《まわ》っている~~いる~~**四十男**。この主人はそんなに子供のことばかりにかけて~~て~~そうかというと**そうではなく**、およそ何事にでもそれほどな~~どな~~**無邪気さ**を持っているので自然に**細君**がこの家の**中心**に~~は~~なって来ているのだ。

## りえの朗読ポイント

**主人公の「独白」で構成されています。読点（、）がほとんどない難しい文章なので、切りどころは熟考する必要があります。この作品は、作者の「実験小説」でもあるので、淡々としたトーンで読むとよいでしょう。**

## 主人公の行き詰まり、あきらめに「世の中の無情」を思わせる

# 横光利一『機械』②

家の中の運転が細君を中心にして来ると細君系の人々がそれだけのびのびとなって来るのももっともなことなのだ。従ってどちらかというと主人の方に関係のある私はこの家の仕事のうちで一番人のいやがることばかりを引き受けねばならぬ結果になっていく。いやな仕事、それは全くいやな仕事でしかもそのいやな部分を誰か一人がいつもしていなければ家全体の生活が廻らぬという中心的な部分に

私がいるので実は家の中心が細君にはなく私にあるのだがそんなことをいったっていやな仕事をする奴は使い道のない奴だからこそだとばかり思っている人間の集りだから黙っているより仕方がないと思っていた。

# 横光利一『機械』②

家の中の運転が**細君を中心**にして来ると細君系の人々が

それだけ**のびのびと**なって来るのももっともなことなのだ。

だ。従ってどちらかというと**主人の方に**関係のある私は

この家の仕事のうちで**一番人のいやがることばかり**を引き受けねばならぬ結果になっていく。**いやな仕事**、それは**全くいやな仕事**でしかもそのいやな部分を誰か一人が**いつも**していなければ家全体の生活が廻らぬという**中心的な部分**に

□ 高く読む
～ ゆっくり読む
‖ 強く読む
く ポーズ（間をおく）
□ 感情を込める
♪ 読点があるが、区切らず続けて読む

私がいるので＜実は家の中心が細君にはなく＜**私**にあるのだが＜

そんなことをいったって＜いやな仕事をする奴は＜**使い道のない奴**

**い奴**だからこそだとばかり思っている人間の集りだから＜

**黙っているより仕方がない**と思っていた。

## りえの朗読ポイント

タイトルのような、冷たく、無機質なイメージで読んでみてください。5行目の「いやな仕事……」から、最後の「仕方がないと思っていた。」までが、なんとひと続きの長い文章になっています。しかし、長いからといって自分の息つぎで読んでしまうと意味が通じなくなってしまいます。まずはこの記号の通りに読んでみてくださいね。

難しい「独白文」をいっきに読むことで思考も滑舌も鍛えられる

# 横光利一『機械』③

全く使い道のない人間というものは誰にも出来かねる箇所だけに不思議に使い道のあるもので、このネームプレート製造所でもいろいろな薬品を使用せねばならぬ仕事の中で私の仕事だけは特に劇薬ばかりで満ちていて、わざわざ使い道のない人間を落し込む穴のように出来上っているのである。この穴へ落ち込むと金属を腐蝕《ふしょく》させる塩化鉄で衣類や皮膚がだんだん役に立たなくなり、臭素の刺戟《しげき》で咽喉を破壊し夜の睡眠がとれなくなるばかりではなく頭脳の組織が変化して来て視力さえも薄れて来る。こんな危険な穴の中へは有用な人間が落ち込むはずがないのであるが、この家の主人も若いときに人の出来ないこの仕事を覚え込んだのも恐らく私のように使い道のない人間だったからにちがいないのだ。

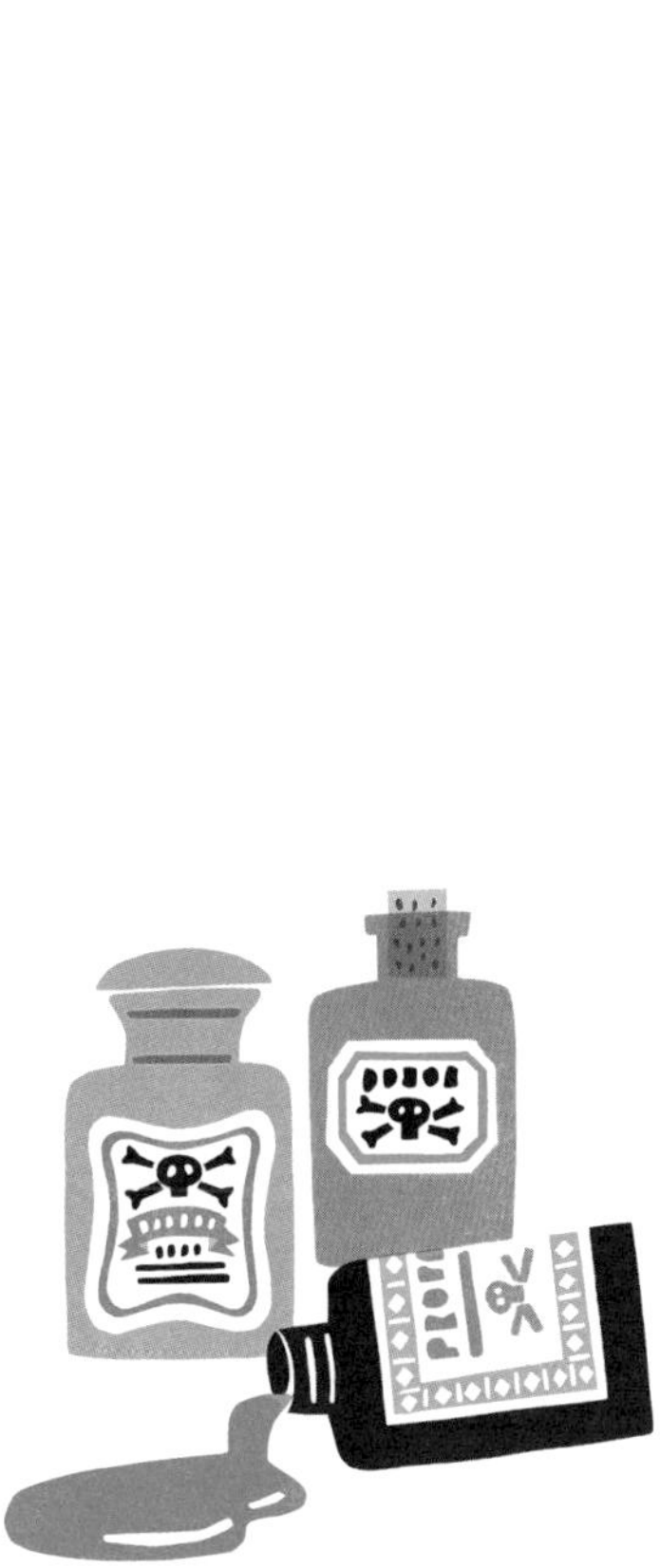

# 横光利一『機械』③

全く使い道のない人間というものは誰にも出来かねる箇所だけに
所だけに不思議に使い道のあるもので、このネームプレート製造所
ト製造所でもいろいろな薬品を使用せねばならぬ仕事の中で
で私の仕事だけは特に劇薬ばかりで満ちていて、わざわざ
使い道のない人間を落し込む穴のように出来上っているの
のである。この穴へ落ち込むと金属を腐蝕《ふしょく》させる塩化鉄で衣
衣類や皮膚がだんだん役に立たなくなり、臭素の刺戟《しげき》で咽喉を

□ 高く読む
〜 ゆっくり読む
‖ 強く読む
く ポーズ（間をおく）
□ 感情を込める
♪ 読点があるが、区切らず続けて読む

を破壊し夜の睡眠がとれなくなるばかりではなく頭脳の組織が変化して来て**視力さえも薄れて**来る。こんな危険な穴の中へは**有用な人間**が落ち込むはずがないのであるが、この家の主人も**若いときに**人の出来ないこの仕事を覚え込んだのも恐らく私のように**使い道のない人間だった**からにちがいないのだ。

## りえの朗読ポイント

こちらも長い文章で構成されているので、そのままでは読みづらいと思います。自分の息づかいではなく、まずは記載のとおりに区切って読んでみてください。慣れてきたら、ご自身の解釈で切りどころを変えてもらってかまいません。

パリの風変わりなアパルトマンに住む登場人物を思い浮かべて

# 森茉莉『贅沢貧乏』①

牟《む》礼《れ》魔利《マリア》の部屋を細叙《さいじょ》し始めたら、それは際限のないことである。

牟礼魔利は、自分の部屋の中のことに関しては、細心の注意を払っていて、そうしてその結果に満足し、独り満足の微笑《わら》いを浮べているのである。魔利の部屋にある物象という物象はすべて、魔利を満足させるべき条件を完全に、具えていた。空壜《あきびん》の一つ、鉛筆一本、石鹸《シャボン》一つの色でも、

■森茉莉（1903〜1987）
東京生まれ。仏英和高等女学校（現・白百合学園高等学校）卒。父は森鷗外。54歳のとき、父・鷗外に関するエッセイを集大成した『父の帽子』で第5回日本エッセイスト・クラブ賞を受賞。その後は、長短編小説にも取り組み、『甘い蜜の部屋』で泉鏡花文学賞、『恋人たちの森』で田村俊子賞などを受賞した。独特の感性で幻想的で優美な世界を描く作風が特徴。

●『贅沢貧乏』
著者の並はずれた想像力・直感力・洞察力から、見かけは贅沢だけれど内容は寒々としている現代風の生活に侮蔑を投げつけ、著者の奔放豪華な夢を描くエッセイ。1963年に発表。

★（あらすじ）牟礼魔利は「赤」の字がつく程度に貧乏なのだが、貧乏臭さというものを心から嫌っている。反対に、「贅沢」と「豪華」のもつ色彩が何より好きだ。彼女の

絶対にこうでなくてはならぬという鉄則によって選ばれているので、花を呉《く》れる人もないがたとえば貰《もら》ったり、紅茶茶碗、匙《さじ》、洋杯《コップ》の類をもし人から貰ったとすると、それは捨てるか売るより他に、なかった。

好きなものは、見たところではどこが豪華なのか判断に苦しむ。アパルトマン6畳の部屋に豪華な雰囲気を取り入れる方法は、精神の貴族の所産。

# 森茉莉『贅沢貧乏』①

牟礼魔利《むれマリア》の部屋を細叙《さいじょ》し始めたら、それは際限のないことである。

牟礼魔利は、自分の部屋の中のことに関しては、細心の注意を払っていて、そうしてその結果に満足し、独り満足の微笑《わら》いを浮べているのである。魔利の部屋にある物象という物象はすべて、魔利を満足させるべき条件を完全に、具えていた。空壜《あきびん》の一つ、鉛筆一本、石鹸《シャボン》一つの色でも、

□ 高く読む
〜 ゆっくり読む
‖ 強く読む
く ポーズ（間をおく）
□ 感情を込める
⤸ 読点があるが、区切らず続けて読む

**絶対にこうでなくてはならぬ**という鉄則によって選ばれているので、花を呉《く》れる人もないが**たとえば貰《もら》ったり**、**紅茶茶碗**、**匙**《さじ》、**洋杯**《コップ》**の類**をもし人から貰ったとすると、それは**捨てるか売るより**他に、なかった。

### りえの朗読ポイント

牟礼魔利さんという、少々風変わりな女性のお話です。作者森茉莉さん自身のことを描いた、とも言われています。「空壜の一つ、鉛筆一本……」から「絶対にこうでなくてはならぬ」がこの文章のポイントです。「、」があってもつなげて読んだほうがいい箇所もありますので、注意してくださいね。

ユニークな思考回路に驚きつつも楽しくなってくる、不思議な世界

# 森茉莉『贅沢貧乏』②

原因は魔利という人間が変っているということの一事に尽きるが、それを幾らか解るように分解すると、次のようになる。魔利は上に「赤」の字がつく程度に貧乏なのだが、それでいて魔利は貧乏臭さというものを、心から嫌っている。反対に贅沢《ぜいたく》と豪華との持つ色彩が、何より好きである。そこで魔利は貧寒なアパルトマンの六畳の部屋の中から、貧乏臭さというものを根こそぎ追放し、それに代るに

豪華な雰囲気《ふんいき》をとり入れることに、熱中しているのである。方法はすべて魔利独特の遣《や》り方であって、見たところでは、何処《どこ》が豪華なのか、判断に苦しむわけである。見る人が芸術に関係する職業の人である場合は、楽しんでいる部屋なのだな、ということは解る。だが何処が豪華なのか、ということになると、首を捻《ひね》るよりない。

# 森茉莉『贅沢貧乏』②

原因は魔利という人間が変っているということの一事に尽きるが、それを幾らか解るように分解すると、次のようになる。魔利は上に「赤」の字がつく程度に貧乏なのだが、それでいて魔利は貧乏臭さというものを、心から嫌っている。反対に贅沢《ぜいたく》と豪華との持つ色彩が、何より好きである。そこで魔利は貧寒なアパルトマンの六畳の部屋の中から、貧乏臭さというものを根こそぎ追放し、それに代るに

□ 高く読む
～ ゆっくり読む
‖ 強く読む
く ポーズ（間をおく）
□ 感情を込める
⤵ 読点があるが、区切らず続けて読む

**豪華な雰囲気《ふんいき》**をとり入れることに、熱中しているのである。

る。方法はすべて魔利独特の遣《や》り方であって、見たところでは、

では、**何処《どこ》が豪華なのか**、判断に苦しむわけである。見る人が

人が**芸術**に関係する職業の人である場合は、**楽しんでいる**

部屋なのだな、ということは解る。だが**何処が豪華なのか、**

**か、**ということになると、**首を捻《ひね》るよりない**。

## りえの朗読ポイント

貧乏なのに、贅沢で豪華な雰囲気が大好きで、でもどこが豪華なのか、他人にはさっぱりわからないという魔利さんの不思議なアパルトマン……。一体どんな部屋なのか、どんな女性なのか？ 想像して、楽しみながら読んでみましょう。

難易度の高い朗読文。読みこなせたらもう朗読上級者！

# 佐藤春夫『田園の憂鬱』①

その家が、今、彼の目の前へ現れて来た。

初めのうちは、大変な元気で砂ぼこりを上げながら、主人の後になり前になりして、飛びまわり纏《まつ》わりついて居た彼の二疋《ひき》の犬が、ようよう柔順になって、彼のうしろに、二疋並んで、そろそろ随《つ》いて来るようになった頃である。高い木立の下を、路《みち》がぐっと大きく曲った時に、

「ああやっと来ましたよ。」

■佐藤春夫（1892〜1964）
　和歌山県生まれ。慶應義塾大学文学部中退。艶美清朗な詩歌、倦怠・憂鬱の小説、優れた批評眼をもち、文芸評論、随筆、童話、戯曲、評伝、和歌、外国児童文学翻訳など幅広い活動を行った。主な作品に『西班牙犬の家』『田園の憂鬱』『殉情詩集』『都会の憂鬱』『退屈読本』などがある。

●『田園の憂鬱』
　1919年刊行の作品。『病める薔薇《そうび》』の別タイトルがある。都会の喧噪を離れ、田園生活を始めるが、その中で感じる自己の内部に潜む憂鬱で病的な心情や、焦燥、模索などの心象風景が描かれている。また、著者自身の心境も重ねられている。

★（あらすじ）都会の重圧と喧噪に苦しみ、己の生の意味を見失った青年は、愛人と犬2匹、猫1匹とともに草深い武蔵野に移り住むことにした。青年は、武蔵野の土や

と言いながら、彼等《かれら》の案内者である赭毛《あかげ》の太っちょの女が、片手で日にやけた額から滴《したた》り落ちる汗を、汚れた手拭《てぬぐい》で拭いながら、別の片手では、彼等の行く手の方を指し示した。男のように太いその指の尖《さき》を伝《つと》うて、彼等の瞳《ひとみ》の落ちたところには、黒っぽい深緑のなかに埋もれて、目眩《めまぐる》しいそわそわした夏の朝の光のなかで、鈍色《にびいろ》にどっしりと或る落着きをもって光って居るささやかな萱葺《かやぶき》の屋根があった。

雑草、丘陵を見つめ、憂鬱と倦怠を噛みしめながら、自己の内部に沈静するが――。

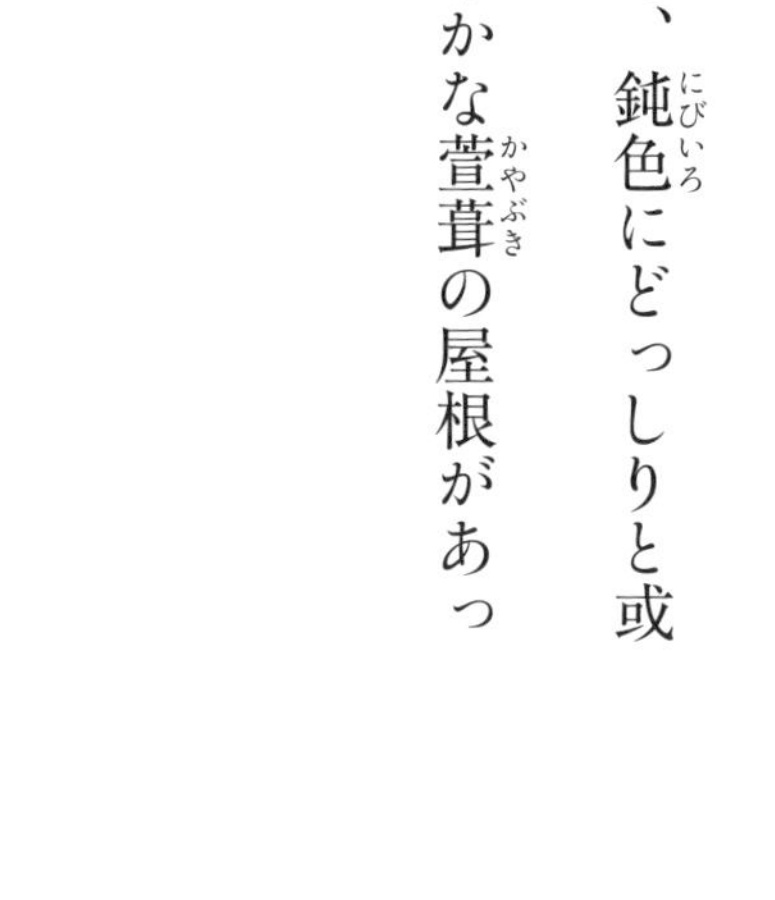

# 佐藤春夫『田園の憂鬱』①

その**家**が、今、彼の**目の前へ**現れて来た。

初めのうちは、大変な元気で砂ぼこりを上げながら、主人の後になり前になりして、飛びまわり纏《まつ》わりついて居た彼の**二疋《ひき》の犬**が、ようよう柔順になって、彼のうしろに、二疋並んで、そろそろ随《つ》いて来るようになった頃である。

高い木立の下を、路《みち》がぐっと大きく曲った時に、

「ああやっと来ましたよ。」

□ 高く読む
～ ゆっくり読む
‖ 強く読む
く ポーズ（間をおく）
□ 感情を込める
♪ 読点があるが、区切らず続けて読む

と言いながら、彼等《かれら》の**案内者**である赭毛《あかげ》の太っちょの女が、片手で日にやけた額から滴《したた》り落ちる汗を、汚れた手拭《てぬぐい》で拭いながら、別の片手では、彼等の**行く手の方**を指し示した。男のように太いその指の尖《さき》を伝《つと》うて、彼等の瞳《ひとみ》の落ちたところには、**黒っぽい深緑**のなかに埋もれて、**目眩《めまぐる》しい**そわそわした**夏の朝の光**のなかで、**鈍色《にびいろ》**に**どっしりと**或る**落着き**をもって光って居る**ささやかな萱葺《かやぶき》の屋根**があった。

### りえの朗読ポイント

朗読としては、難易度が高い文章です。「、」のとおりに切って読むと野暮ったい朗読になります。

また、自分の息つぎで読んでしまうと聞く人に伝わりません。ちょっと息が苦しいかもしれないけれど、この「♪区切らず続けて読む」「〈ポーズ」の記号のとおりにがんばって読んでみてください！

抒情あふれる文章に日本文学の神髄を学べる

# 佐藤春夫『田園の憂鬱』②

それが彼のこの家を見た最初の機会であった。彼と彼の妻とは、その時、各各《おのおの》この草屋根の上にさまようて居た彼等の瞳を、互《たがい》に相手のそれの上に向けて、瞳と瞳とで会話をした——

「いい家のような予覚がある。」

「ええ私もそう思うの。」

その草屋根を見つめながら歩いた。この家ならば、何日《いつ》か遠い以前にでも、夢にであるか、幻にであるか、それとも疾走する汽車の窓からでであったか、何かで一度見たことがあるようにも彼は思った。その草屋根を焦点としての視野は、実際、何処《どこ》ででも見出されそうな、平凡な田舎《いなか》の横顔であった。しかも、それが却《かえ》って今の彼の心をひきつけた。今の彼の憧れがそんなところにあったからである。そうして、彼がこの地方を自分の住家に択《えら》んだのも、またこの理由からに外《ほか》ならなかった。

# 佐藤春夫『田園の憂鬱』②

それが彼のこの家を見た**最初の機会**であった。彼と彼の妻とは、その時、各各《おのおの》この草屋根の上にさまようて居た彼等の**瞳**を、互《たがい》に相手のそれの上に向けて、**瞳と瞳とで会話をした**――

「いい家のような予覚がある。」

「ええ私もそう思うの。」

その草屋根を見つめながら歩いた。この家ならば、何日《いつ》か

□ 高く読む
～ ゆっくり読む
＝ 強く読む
く ポーズ（間をおく）
□ 感情を込める
⤸ 読点があるが、区切らず続けて読む

か遠い以前にでも、夢にであるか、幻にであるか、それとも
も疾走する汽車の窓からででもあったか、何かで一度見たことが
ことがあるようにも彼は思った。その草屋根を焦点としての
の視野は、実際、何処《どこ》ででも見出されそうな、平凡な田舎《いなか》の
の横顔であった。しかも、それが却《かえ》って今の彼の心をひきつけた。
つけた。今の彼の憧れがそんなところにあったからである。
る。そうして、彼がこの地方を自分の住家に択《えら》んだのも、
またこの理由からに外《ほか》ならなかった。

**りえの朗読ポイント**

「瞳」という言葉が3回、さらに「夢」「幻」という、「視覚」に関係する言葉が複数回使われています。それらの言葉を際立たせる読み方にしました。もちろんこれは私の解釈なので、ご自分の感性で違う読み方にもトライしてみてください。

# おわりに

朗読をしてみて、いかがだったでしょうか。実際にやってみると、「意外と簡単だった」「思っていたより難しかった」など、人によって感じ方はいろいろだと思います。

でもみなさんきっと、**朗読の楽しさがおわかりいただけた**のではないでしょうか。

朗読の基本は、**「聞き手の反応を予想する」**ことにあります。

つまり、**「ちゃんと相手に伝えられているだろうか」ということを常に意識する必要がある**わけです。自分が好きなように読んで自己満足で終わってしまっては、相手に楽しんでもらったり、感動させたりすることはできません。

聞き手の反応を意識して読んでいるうちに、「ある現象」が起こります。それは、**知らず知らずのうちにも「客観性」が養われていく**ということです。そこで生まれるのは**「自分を律して、相手にフォーカスする」**こと。朗読の神髄はここにあると思います。

ということは、**朗読は、スピーチ、プレゼン、会話、雑談、などコミュニケーション**

**全般に通ずる**のです。朗読を続けていけば、結果、**コミュニケーションスキルも磨かれ、人間関係に自信をもつことができるようになる**と私は考えています。それは**私自身の体験からもいえる**ことです。

今後はこの**朗読本をシリーズ化**して、もっと多くの朗読文をみなさんにご提供して、楽しんでいただきたいと考えています。

この本の音声サンプルが聴ける**YouTube『魚住りえチャンネル』**も随時更新していきますので、ご期待くださいね。

本書を出版することができたのは、東洋経済新報社の中里有吾編集長、田中順子さんをはじめ、高橋扶美さん、佐藤真由美さんのご尽力のおかげです。

また文芸評論家の高澤秀次先生にも改めて御礼申し上げます。

みなさんにまたお目にかかれることを、楽しみにしています！

２０２３年12月

魚住りえ

【著者紹介】

**魚住りえ**（うおずみ　りえ）

フリーアナウンサー。ボイス・スピーチデザイナー。

大阪府生まれ、広島県育ち。高校時代、放送部に所属。在校中、NHK杯全国高校放送コンテスト朗読部門で、約5000人の中から第3位となり、優秀賞を受賞。

1995年、慶應義塾大学文学部仏文学専攻を卒業し、日本テレビにアナウンサーとして入社。報道、バラエティー、情報番組などジャンルを問わず幅広く活躍。代表作に『所さんの目がテン!』『ジパングあさ6』（司会）、『京都心の都へ』（ナレーション）などがある。

2004年に独立し、フリーアナウンサーとして芸能活動をスタート。とくに各界で成功を収めた人物を追うドキュメンタリー番組『ソロモン流』（テレビ東京系列）では放送開始から10年間ナレーターをつとめ、およそ500本の作品に携わった。各局のテレビ番組、ラジオ番組、CMのナレーション等も数多く担当し、その温かく、心に響く語り口には多くのファンがおり、「朗読の名手」と呼ばれることも多い。

また、およそ30年にわたるアナウンスメント技術を活かした「魚住式スピーチメソッド」を確立し、現在はボイスデザイナー・スピーチデザイナーとしても活躍中。

本書の前作となった『話し方が上手くなる! 声まで良くなる! 1日1分朗読』（東洋経済新報社）は、「滑舌が良くなる」「話し方を学ぶのに最適の本」「練習しやすい」など読者から高い評価を得て、ロングセラーになっている。『たった1日で声まで良くなる話し方の教科書』『たった1分で会話が弾み、印象まで良くなる聞く力の教科書』（共に東洋経済新報社）も累計20万部を超えるベストセラーになっている。

また、YouTube「魚住りえチャンネル」を開設。視聴者のコミュニケーションにまつわるさまざまな悩みを解決し、好評を博している。

【名文選定者紹介】
**高澤秀次**（たかざわ　しゅうじ）
文芸評論家。1952年北海道室蘭市生まれ。早稲田大学第一文学部卒業。
著書に『ヒットメーカーの寿命――阿久悠に見る可能性と限界』（東洋経済新報社）、『評伝 立花隆――遥かなる知の旅へ』（作品社）、『評伝 西部邁』（毎日新聞出版）、『戦後思想の「巨人」たち』（筑摩選書）、『文学者たちの大逆事件と韓国併合』（平凡社新書）、『吉本隆明1945-2007』（インスクリプト）、『戦後日本の論点――山本七平の見た日本』（ちくま新書）、『江藤淳――神話からの覚醒』（筑摩書房）、『評伝 中上健次』（集英社）など、監修に『別冊太陽 中上健次』（平凡社）、『中上健次 電子全集』（小学館）など、編書に中上健次著『現代小説の方法【増補改訂版】』『中上健次［未収録］対論集成』（共に作品社）などがある。

話し方が上手くなる! 声まで良くなる! 1日1分朗読
これぞ日本語最高峰! 何度でも読みたい名文・名作編

2023年12月26日発行

著　者――魚住りえ
名文選定者――高澤秀次
発行者――田北浩章
発行所――東洋経済新報社
〒103-8345　東京都中央区日本橋本石町 1-2-1
電話＝東洋経済コールセンター　03(6386)1040
https://toyokeizai.net/

ブックデザイン……金井久幸（Two Three）
イラスト…………岸潤一
ＤＴＰ…………アイランドコレクション
カバー写真………田川智彦
ヘアメイク………畑野和代
編集協力………高橋扶美／佐藤真由美
編集アシスト……石津裕美／濱田千鶴子
校　正…………加藤義廣
印　刷…………ベクトル印刷
製　本…………ナショナル製本
プロモーション……笠間勝久
編集担当………中里有吾／田中順子

ISBN 978-4-492-04757-6